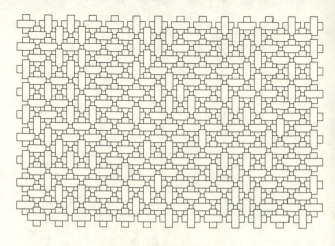

だから仏教は面白い！

魚川祐司

講談社＋α文庫
プラスアルファ

まえがき

本書は対談による講義形式により、仏教をわかりやすく解説した入門書です。もともとは電子書籍として、前・後編に分けて出版されていたものですが、このほど講談社＋α文庫より、両編を合本して、加筆修正も施した上で新たに刊行されることになりました。

講義内容の元になっているのは、二〇一四年にウェブ上の動画配信・放送サイト、ツイキャス（http://twitcasting.tv/）にて、音声動画の形で配信した、仏教の入門講義ライブです。この企画は電子書籍出版社 evolving の糸賀祐二さんよりご提案をいただいたもので、放送では実際に糸賀さんとお話ししながら、視聴者からのリアルタイムでのコメントにも応答しつつ、楽しく講義をさせていただきました。

そして、この配信動画の文字起こしに基づきつつ、よりわかりやすくなるように私が文章に全面的な手を加え、ほぼ書き下ろしに近い形で完成させたのが『だから仏教は面白い！』電子書籍版です。したがって、対談形式を残してはいますが、会話の応酬の全てについて、その文責は私にあります。

講義の内容は、二〇一五年四月に公刊された拙著『仏教思想のゼロポイント』（新潮社）で扱ったトピックのうち、仏教の初心者に向けて解説するにふさわしいものをいくつか取り上げ、それらを可能な限りわかりやすく、親しみやすい形でお話ししたものです。『仏教思想のゼロポイント』が学校から出発する「遠足」であるとするならば、『だから仏教は面白い！』は、家から学校に向かう「通学路」の役割を果たすもので、言わば「入門の入門」に当たるのが本書になります。

とはいえ、「仏教」と一口に申しましても、そこには多様で膨大な内容が含まれますから、「入門の入門」として基本的な話に限定するとしても、その全てを語りきることはとてもできません。そこで、本書では主に「ゴータマ・ブッダの仏教」の根源的な思想構造と、その実践（瞑想）との関連に焦点を絞ってお話をしています。カジュアルな対談講義の形式で、同じことでも様々な角度から新しく親しみやすい言い換えを行いながら語っていくことにより、「仏教という思想・宗教・世界観の仕組み」を、その最も基本的な部分において、読者の皆様にはっきりと理解していただくことが、本書の目的です。

ともすれば「難しい」「よくわからない」と言われがちな仏教ですが、本講義をきっかけとして、読者の方々がそれぞれに仏教の知識や実践に親しまれていくことがあれば、著者としては望外の幸福です。

それでは、さっそく実際の講義に入っていくことにいたしましょう。

講義ライブ　だから仏教は面白い！　目次

第4回　無我と輪廻をめぐって

第5回　「世界」を終わらせるということ

第6回　仏教の実践

第7回　「悟り」はあるかないか問題

第1回　仏教はヤバいもの

今日から連続七回の仏教講義をはじめていきます。まず、初回のテーマは「仏教はヤバいもの」ですね。どうぞよろしくお願いします。

よろしくお願いします

So Buddhism is interesting

なぜ仏教は「ヤバい」のか？

So Buddhism is interesting

さて、「仏教はヤバいもの」というのは、私が仏教の話をするときにいつも最初に言うことなんです。なぜこれを最初に言うかというと、とくに近代以降の日本で仏教が紹介される時は、この仏教の「ヤバい」ところをオブラートに包むというか、隠して話をすることが多いんですね。もちろん、それはそういうふうに話をしたほうがみんな仏教に親しみがもてる、ということでそうしているのだと思うのですが、私としては、まず、この「仏教はヤバいもの」であるということ。そのことを、最初にごまかすことなくきちんと言うべきだと思っているわけです。

　それで、「ヤバい」というのは具体的にどういうことかというと、例えば、仏教というのは「人間が正しく生きる道を説《と》いたものだ」とか、そういった紹介の仕方をされることがしばしばあると思うのですが、実際にゴータマ・ブッダが弟子に教えていることを見てみたら、彼は「人間が正しく生きる道」を主題的に教えているわけでは必ずしもないんですよ。まあ、「教えていない」と言ってしまうと語弊がありますが、少なくとも私たち現代日本人一般の価値観からすれば、非人間的に見えても全くおかしくないようなことを、彼は普通に説いているわけです。

　そのことを、まずはっきりと認めた上でないと、後の大乗仏教も含めた仏教史全体の理解も歪んでしまうことになるんです。だから、みなさんそこをわかってくださいね、ということで、私は絶対にごまかしてはいけないこととして、この「仏教はヤバいものなんですよ」、という話から、いつも仏教の話をはじめることにしています。


うーん。でも、仏教というと、私たちに「正しい生き方」を教えてくれるもの——

で、それにしたがえば「いい人」になって「幸せ」になれる、というイメージはたしかにありますよね？

そうなんです！　例えば、よくある仏教の紹介の仕方として、仏教は「人生の処世術として役に立つ」なんてものがありますね。あるいは、「仏教には慈悲《じひ》の教えや戒律の教えがあるから、仏教を実践すれば、優しくて健全な人になれますよ」とか、「瞑想をすれば頭がよくなります」などと言う人もいます。

ち、違うんですか？

もちろん、仏教がそれらを否定しているというわけではないんですよ。「優しくて健全な人になるな」というふうに言っているわけではないですからね。

ただ、そのような効果、つまり、頭がよくなったり、優しくなったり、健全になったりということは、あくまでゴータマ・ブッダの教説の本筋・本来の目的からすれば副次的なことなんです。なぜなら、ゴータマ・ブッダの教説の最終的な目的は、社会の中でそのメンバーとして上手に振る舞うとか、そこで役に立つとかいったことを、「全て乗り越える」ことですから。したがって、本来的には、ゴータマ・ブッダの仏教というのは、「社会の中で人間的に役に立つ」ための教えでは全くないわけです。そのことをまずはっきりと押さえておかないと、仏教についての全体的な理解はおぼつかなくなってしまうと思います。

むむむ。そこはぜひ、もっと具体的に聞きたいですね

はい。順を追って説明していきますね。では、まずゴータマ・ブッダが悟った後に説法を躊躇《ちゅうちょ》した、つまり他人に自分の悟った内容を語ることをためらって、一時は説法しないでそのまま死んでしまおうと思っていたことはご存知ですか？

ちょっと聞いたことがあります。ブッダのところに梵天《ぼんてん》[1]が現れて、説法してくれるようにお願いしたこと、みたいな話だったたような……？

1 仏教における諸神の一つ。ただし、神といっても輪廻転生の枠内にあるので、ブッダよりは格下の存在である。

「梵天勧請」というエピソードですね。ではブッダがなぜ「自分の悟ったことは人に喋らないでおこう」と考えたかというと、それは彼が自分の教えを「世の流れに逆らうもの（パティソータガーミン）」だと理解していたからです。つまり、「普通の人だったらこうするよね」ということとは、逆のことを教えるのが自分の教えだと。だから、どうせ教えても普通の人は自分の言っていることがわからないだろうし、ゆえに説法しても疲れて悩むだけだろうからやめようと思った、ということなんですね。

だから、ゴータマ・ブッダ自身も自分の教えが必ずしも人間的なものであったり、世の中の人がみんな喜んでやるようなものではない、ということはわかっていたわけですよ。それがわかっているから説法を躊躇したわけです。

So Buddhism is interesting

異性とは目も合わせないニートになれ！

So Buddhism is interesting

ブッダの教えのどこが「世の流れに逆らうもの」なんですか？

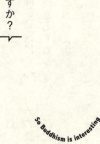

そこですね。現代風にわかりやすく、比喩《ひゆ》的に言うとすれば、ゴータマ・ブッダは解脱《げだつ》を目指す自分の弟子たち、つまり出家者に対しては、「異性とは目も合わせないニートになれ！」と教えていたんです。

異性とは目も合わせないニート！

そう(笑)。例えば、「最古の経典」の一つとされる『スッタニパータ』の中に、非常にわかりやすいエピソードがいくつかありますので、それを取り上げてみますね。[2]

まず一つ目。[3] ブッダの時代に、バーラドヴァージャというバラモン（インドにおけるカースト最上位の祭祀階級）がいました。そのバーラドヴァージャというバ

2 邦訳は、中村元訳『ブッダのことば　スッタニパータ』（岩波文庫、一九八四年）を利用するのが、入手もしやすく便利である。
3 前掲書、二三頁以下。

ラモンは大きな田んぼをもっていて、その田んぼを家族や奴隷を使って一生懸命に耕していたんです。要するにバーラドヴァージャは農場経営者だったわけですが、その農場で食物を配給していたところに、ゴータマ・ブッダがやって来て、托鉢《たくはつ》を求めるために立っていた。そのゴータマ・ブッダの姿を見て、バーラドヴァージャはこう言ったわけです。

私は耕して種を播《ま》いてから食べている。だからあなたも耕してから食べなさい。

これは現代日本人である私たちの価値観からすると、すごく真っ当な言い分じゃないですか？ 要するに、あなたは働かずに食っているわけだから、私みたいにちゃんと耕作労働をしてから食べなさい、と言ったわけです。それこそ「ニートよ、働け」的なことを言ったわけですよ。

すごく……真っ当です（笑）

でしょう？（笑）だけど、ゴータマ・ブッダのそれに対する答えが凄くて、「いや、実は私も働いているのだよ」と言ったんです。どういうことだかわかりますか？

彼は偈《げ》（詩）で答えたんですが、「私にとっては信仰が種子であり、苦行が雨であり……」というようなことを言った。つまり、私にとっては宗教的実践が耕作労働なのである、という話をしたんですね。どうですか、これで納得できますか？

正直よくわからないですね……。「お、おう」という感じです

一般的な日本人の感覚からしたら、バーラドヴァージャの言ってることのほうが「まとも」ですからね。まあでも、そこは経典だからなのかインド文化だからなのかわからないですけれど、バーラドヴァージャは「なるほど、そうか！」って納得したんですよ。ゴータマ・ブッダの人間力のせいなのかもしれませんけどね。

それで納得して喜んだバーラドヴァージャは、ゴータマ・ブッダの鉢に「どうぞこれを食べてください」と乳粥《ちちがゆ》を入れた。これに対するブッダの反応がまた凄くて、「私は詩を唱えた報酬として得たものを食べてはならない」と言ったんです。つまり、信仰は種子であり、苦行は雨であるという詩を唱えた。それを喜んだバーラドヴァージャが乳粥をくれたわけですから、その乳粥は詩を唱えた報酬として与えられた形になったわけです。だからゴータマ・ブッダは、その乳粥を「私は受け取らない」と言って捨てさせるんですね。食べ物は、無駄になってしまうのですが……。

せっかくもらったんだから、捨てるくらいなら食べればいいのに……

そう思いますよね。ただ、ゴータマ・ブッダにとっては、そこは譲れない一線だったということです。つまり、ここで明らかになっていることは何かというと、ブッダは一般的な意味での労働（プロダクション）を拒否しているわけ。自分が何か仕事を提供して、その対価として報酬を受け取ることを私はしないんだ、ということ。この場合だったら、詩を唱えるという仕事をして、その対価として乳粥という報酬を受け取ることを彼はやらない。それが、ゴータマ・ブッダの振る舞いの基本的な原則だったということです。

仕事をして報酬をもらうことができないなら、現代日本人の目から見ればニートになるしかありませんね

そうなります。

「異性とは目も合わせない」というのは？

それが次の例。同じ『スッタニパータ』の中ですが、「マーガンディヤ」という経典があります。[4]これはどういう話かというと、マーガンディヤというバラモンがいたんですが、彼がある時ゴータマ・ブッダを見かけて、その立派な姿に惚《ほ》れ込みまして、「この人をぜひ自分の娘の婿《むこ》にしたい」と思ったんですね。ゴー

4　前掲書、一八五頁以下。

タマ・ブッダという人は、そんなふうに、ぱっと見た人が惚れ込んでしまうくらいの超絶イケメンであったと言われています。

さて、それでマーガンディヤの娘も評判の美人でしたから、きっとこれを見せれば喜んで承知するだろうと考えて、マーガンディヤは娘を連れてブッダのところに行った。「ブッダさん、せっかくそんなに超イケメンで有能なのに、ボロい衣を着てフラフラ托鉢なんかして暮らしていても意味がないですよ。そんなことはやめて、うちのこの超美人な娘と結婚しませんか？　私の家は金持ちですから、それで楽しく暮らしてくださいよ」と、言ったわけです。要するに、ニートしてたら美人の女の子が連れて来られて、「この娘と結婚して、金持ちな我が家の息子になってください」と頼まれた、ということ。

魅力的なお誘いですね

美人局《つつもたせ》かと思うくらい魅力的ですね（笑）。ところが、その魅力的なお誘いに対するゴータマ・ブッダの反応がこれまた凄かった。彼はそのマーガンディヤの美人の娘に対して、「この糞尿に満ちた女が何だというのだ。私はそれに足でさえも触れたくない」と言ったんです。

えっ？

つまり、美人と言っても、それは要するに皮一枚のことで、その皮の下には大便や小便などが詰まっているわけです。だから美人とか何とか言ったところで、こんなものはただの糞袋ではないか、と。そんな汚い物には私は足も触れたくないと言ったわけですよ。

本当のことかもしれないけど、厳しいですね

まあ厳しいというか、きついですよね。この話の凄いところとして、ブッダのその言葉を聞いたマーガンディヤの両親は、「この人は立派な人だ」と納得して、ちょっと悟ったらしいんですよ。でも娘のほうは恨みに思ったんですって。一般の感覚で言うと当たり前だと思うんですけれどね。自分の見た目に自信があって、「私はかわいいのよ」と思っている女の人が、「お前の婿は決まったぞ」と連れて行かれたあげく、その相手に「こんな糞袋には足でも触りたくない」みたいなことを言われたから、ものすごく怒ったらしいです。

まあそれは怒るかもしれませんね（笑）

マーガンディヤの娘はこの件を忘れなかったらしくて、注釈者の説によれば、後に様々な嫌がらせをブッダとサンガ（教団）に仕掛けてきたらしいです。女性の恨み、とくに容姿にかかわる恨みは恐ろしいですね。

さて、それでこの話が結局何を表しているかというと、とりあえずゴータマ・ブッダと、そして彼にしたがって解脱を目指す仏弟子は異性とのお付き合いをしない。そして、もちろん「性行為」もしない。マーガンディヤの娘に対してブッダが言ったように、「異性」と言っても、その実際は糞尿の詰まった袋にすぎないから、そんなものと付き合っても仕方がない、と。

厳しいなあ

そうですね。そして、先ほど言ったようにブッダと弟子の出家者たちは労働もしませんから、労働（production）と生殖（reproduction）、即ち、プロダクションとリプロダクションは、ゴータマ・ブッダの仏教にしたがって解脱しようとするのであれば、基本的に放棄すべきものとされているということです。

凡人にはハードル高いですね……

ええ。それに生殖行為の禁止と言っても、ただセックスをしなければいいというだけのことではありません。たとえば、増支部《ぞうしぶ》（アングッタラ・ニカーヤ）の経典に七つの「淫欲の繋縛」について説いたものがある。これは要するに、性の欲望によって修行者を現世に縛りつける、七つの障害みたいなものです。この「淫欲の繋縛」の七つの内容が凄くて、一番目はマッサージなどの女性との身体的な接触を否定する(1)。これはまぁわかるでしょう？　女性の身体をベタベタ触っちゃだめだ、ということですからね。

まあ出家者が女性の身体に触ってはいけない、というのは理解できますね

ですよね。ところが、その次には身体に触れるだけではなくて、女性と冗談を言ったりして楽しむことも否定しています(2)。さらに、女性と見つめあうことも否定(3)。そして、壁の向こうの女性の声に耳を傾けることを否定(4)。また、かつて女性と会話したことを思い出すことも否定(5)。つまり、リアルな女性ではなくて、むかし女の子とこんなことしゃべったなあ、みたいなことを思い出しても駄目なんですね。そしてさらに、自分以外の他人（在家者）が感覚的快楽を楽しんでいるのを見ることも否定(6)。最後に、修行の結果、来世において感覚的快楽に溢《あふ》れた天界に生まれようと望むことを否定する(7)。つまり、今生《こんじょう》では諦めても、来世に感覚的快楽の希望を繋いでいるうちは、まだ駄目だということです。

とにかく徹底的に、女性への執著を絶たなければならないんですね

そうです。もちろん、女性出家者であれば男性への執著を同様に絶つことになるでしょうが、いずれにせよ、とにかく異性と接触したり、異性とのかかわりをもってそれを楽しもうとすることを、徹頭徹尾否定しているわけですね。だから

「異性とは目も合わせるな」というのが、解脱を目指す出家修行者に対するゴータマ・ブッダの命令。そして、これを「労働の放棄」と合わせて現代風に表現すれば、「異性とは目も合わせないニートになれ！」というのが、出家した弟子に対してブッダが示した、解脱のための基本方針だということになるわけです。

たしかに、そうなりますね……

はじめて聞く人にとってはちょっとびっくりするような話かもしれませんが、ただ、これ自体は、実はそんなに不思議な話ではないというか、ゴータマ・ブッダの仏教の方向性から考えれば当然のことなんですよ。

方向性？

そう。さきほど、ゴータマ・ブッダは自分の教えを「世の流れに逆らうもの」だと把握していたという話をしましたよね？

はい。されてましたね

ではゴータマ・ブッダは、なぜ自分の教え（法、ダンマ）を「世の流れに逆らうものだ」と考えたか。それは経典の同じ箇所の言葉によれば、世の中の人々が、「欲望の対象を楽しみ、欲望の対象にふけり、欲望の対象を喜んでいる」からである。だから、自分が教えを説いても無駄だろう、と考えたわけです。

「欲望の対象を楽しみ、欲望の対象にふけり、欲望の対象を喜んでいる」……というのは、どういうことでしょう？

そのままの意味です（笑）。例えば、かわいい女の子がいたら「かわいいなぁ」と思うし、おいしい食べ物があったら「おいしそうだ、食べたいなぁ」って思いますよね。つまり、人間の生には「欲望の対象」というのが常にある。そして、それを追い求めて、その対象をゲットすることで欲望が満たされたら、「ああ楽しいなあ、嬉しいなあ、幸せだなあ」と思う。それが普通の人間の生き方だということ。そうじゃないですか？

まあ普通の人は、たいがいそうやって生きてますね

そう。でも、それって実際には必ずしも悪いことばかりではないですよね。だって、そのように欲望の対象に執着するからこそ、私たちは異性と結びつくことができて、そうして異性と結びつくことができたら子供ができて、それで家族ができたりするわけでしょう？

たしかに、そうですね

そして、その家族を養うために仕事をして、お金を稼いで、お金を稼ぐから経済が回り、人の繋がりもできて、社会が全体として豊かになる。そのようにして、人類はそれなりに発展をしてきたわけです。

だから、私たちがある意味で盲目的な欲望によって、欲望の対象を楽しみ、欲望の対象にふけり、欲望の対象を喜んでいるということは、人間が人間として社会を正常に成り立たせていくために、必要なことでもあるわけですよ。

人間が欲望の対象に執著することをやめてしまったら、家族もできないし社会も成り立たない。逆に言えば、「欲望の対象を楽しみ、欲望の対象にふけり、欲望の対象を喜んでいる」ことは、私たちが人間として生きていくために当たり前の行為を続けていくための、前提条件にもなっているということですね

そうなんです。ところが、ゴータマ・ブッダの教えは、そのように人間が普通であれば自然に向かっていく方向性というものを否定して、それに「逆流しなさい」と教えるわけです。つまり、人間は自然なこととして「欲望の対象を楽しみ、欲望の対象にふけり、欲望の対象を喜ぶ」存在であって、そうすることで社会を成り立たせて生存を続けているわけだけれども、ブッダはそれをやめなさいと教えるということ。だからそれは、「世の流れに逆らう」ものである。

なるほど……。だから、ゴータマ・ブッダは説法を躊躇したわけですね

そのとおりです！　自分の教えが普通の人間の自然な行為には全く「逆らっ

て」いることを、ゴータマ・ブッダはわかっていた。だから、そんな教えを説いても人々には承認してもらえないだろうし、そうであればやっても無駄だから、説法するのはやめておこうと、彼は一度は考えたわけです。

So Buddhism is interesting

世の流れに逆らうもの

So Buddhism is interesting

今日のテーマの「仏教はヤバいもの」というのも、そのようにゴータマ・ブッダの仏教が「世の流れに逆らうもの」という性質をもっているからヤバい、そういうことでしょうか？

そうですね。最初に申し上げたように仏教というのは、「処世の役に立つ」とか、「人間が生きる健全な道を説くものだ」とか、そういった一般への紹介の仕方がされることがしばしばあります。しかし、経典を普通に読んでみればわかることですが、ゴータマ・ブッダは、解脱・涅槃《ねはん》という究極の目的を達成しようとする弟子たちには、労働と生殖を放棄して、「異性とは目も合わせないニートになれ！」と求めているわけですよ。でも、たぶん現代日本人の多くの人は、「異性とは目も合わせないニートになること」が人間として健全な生き方だとは思わないんじゃないでしょうか。

そういうふうに思う人は、たぶん少ないでしょうね

ですよね（笑）。ところが、にもかかわらずゴータマ・ブッダは、それをやらないと解脱には達することができないと言う。つまり、普通だったら当たり前のように楽しんでいる欲望の対象への執著を否定して、それがあるからこそ行われている労働と生殖をやめろと言う。そのようにして、私たちが普通に自然に選択する生き方に逆流しなさいと教えているゴータマ・ブッダの仏教は、実は基本的には、少なくとも現代日本人の私たちからしたら、「ヤバい」ものになるわけです。

「異性とは目も合わせないニートになる」のは、たしかに現代日本人の感覚からすれば「ヤバいこと」ですからね

そうなんです！　ただですね、今日の話で私が言いたいのは、「このように仏教はヤバいものです。以上、解散！」ということではないんです。これから全七回にわたって、仏教の講義をしていくわけですからね。

「仏教はヤバいです。以上！」だったら、そこで話が終わっちゃいますからね

おっしゃるとおりです。「仏教はヤバい」という話をしたからといって、だから「仏教は現代日本人にとって価値がない」という結論を導きたいわけでは、もちろんないということですね。

では、にもかかわらず、なぜそんな話をいちばん最初にしたのかというと、それは、このような仏教の「ヤバい」ところをしっかり認めておかないことには、その「面白い」ところについても、きちんと理解することができないからです。

どういうことでしょう？

一般に認められていることとして、仏教の開祖はゴータマ・ブッダであり、そして、そのゴータマ・ブッダの仏教の究極的な目標は、解脱であり涅槃です。そして、その状態に到達した人は、「欲望の対象を楽しみ、欲望の対象にふけり、欲望の対象を喜ぶ」ことをやめてしまう。つまり、もう欲望を楽しまない状態になってしまうわけですね。仏教をはじめた人であるゴータマ・ブッダさんは、そうした解脱・涅槃の状態が最高だという価値判断をして、それを人に教えたのが仏教の始点である、ということ。まず当然のこととして、そのことは認めた上でないと、仏教についてまともに考えることはできないんです。

開祖の教えをとりあえず正面から、ありのままに理解しておかないと、その後の展開についても、よくわからなくなってしまうわけですね

はい。ところが、「欲望の対象を楽しみ、欲望の対象にふけり、欲望の対象を喜ぶ」ことをやめるということを、普通に正面から考えてみれば、それは先ほど説明したとおり、私たち現代日本人にとっては「ヤバい」話になります。本気でそれを実行するためには、「異性とは目も合わせないニート」にならなければいけないわけですからね。

だから現代日本で仏教について語る人たちは、たぶん多くの場合は善意から、そのことをごまかそうとしてしまう。つまり、仏教の経典の中から私たち現代日本人の価値観にとって都合のいいところだけを切り貼りしてきて、それで「仏教をやると優しくて健全な人になれます」と主張するわけです。

今回の講義の冒頭で言われていた、「よくある仏教の紹介の仕方」ですね

ええ。しかし私としては、ゴータマ・ブッダの仏教に関するそのような語り方は、そろそろやめてもいいだろうと思っているんですね。つまり、「仏教をやると優しくて健全な人になれます」とか、そういうごまかしを言うのではなくて、「少なくとも、ゴータマ・ブッダの仏教は、その究極的な目的を達成しようとする弟子たちに、『異性とは目も合わせないニートになれ』と命じるものである」ということを、まずはっきり認めるべきじゃないかということです。

なるほど

しかし、だからといって「そういうヤバい仏教は、私たち現代日本人にとっては無意味だ」と言いたいわけではありません。「異性とは目も合わせないニートになれ」と教える、私たちにとっては「ヤバい」ゴータマ・ブッダの教説は、にもかかわらず、そういう性質の教えとして、二千五百年間きちんと存続してきたわけです。つまり、「異性とは目も合わせないニートになれ」という、人間の自然な生き方に真っ向から逆らう教えに、それにもかかわらず価値を見出した人たちが、二千五百年間ずっと存在し続けてきたということです。

たしかに、そういうことになりますね

だとしたら、私たちが本当に仏教を「わかる」ためにやらなければならないことは、「異性とは目も合わせないニートになる」ことをゴータマ・ブッダが推奨していたという、文献から知られる事実を隠蔽することではなくて、そのように「非人間的」で「ヤバい」教えを言葉どおりに実践した先に、最終的に得られる価値は何であるのかということを、正面から考えてみることだと思うんです。

そして、もちろんその価値というのは解脱・涅槃なのですが、それは「世の流れに逆らって」まで、つまり、一般には人間の幸福の源泉だと考えられるところの労働と生殖を放棄してまでも、追求する価値のあるものだと、少なくともゴータマ・ブッダは考えたことになりますし、またその価値判断に同意した仏教徒たちも、二千五百年のあいだ少なくない数で、存在し続けてきたということになる。

ならば、その解脱・涅槃というのはいかなる性質のものなのか。それを証得《しょうとく》するというのはどのような事態なのか。この連続講義の一つのテーマはそれですが、そのことを考えていくための前提として、まずは日本における一般的な仏教の語りにおいては隠蔽されがちな「ゴータマ・ブッダの仏教はヤバいものである」という事実を、とりあえず確認しておかないと話をはじめられない。だから、初回の講義のテーマとして、最初にこの「仏教はヤバい」ということを取り上げたわけです。

第2回 仏教の核心

今日は連続講義の第2回ですね。よろしくお願いします。

よろしくお願いします

So Buddhism is interesting

「はずだ論」のワナ

So Buddhism is interesting

さて、前回はゴータマ・ブッダの仏教は究極的には「解脱」を目指すものであるという話をしましたね。彼の仏教の究極的な目的である「解脱」を目指す出家者たちには、ゴータマ・ブッダは「労働」と「生殖」を放棄しろ、「異性とは目も合わせないニートになれ！」というふうに教えた、という話です。

ただ、もちろん仏教には在家の信者も存在するので、ゴータマ・ブッダも彼らに対しては当然「労働」と「生殖」を禁じてはいません。在家者というのは「労働」と「生殖」、つまりはプロダクションとリプロダクションをして生きていく存在ですからね。

そうしないと生活できませんからね

そうです。そこで在家の人々にゴータマ・ブッダが説く教えというのは、基本的には「施論《せろん》・戒論《かいろん》・生天論《しょうてんろん》」と言われるものです。これは簡単に言えば、布施をして、戒を守っていれば将来いいことがあるよ、ということ。仏教は業の世界観をもっているから、善いことをすれば楽の結果が出るし、悪いことをすれば苦の結果がある（善因楽果、悪因苦果）。そして、これを輪廻転生の世界観と合わせると、「善いことをすれば、来世ですごくいい感じに生まれられるよ（生天できるよ）」という話になるわけです。

それはもちろん、それなりに意義のある教えだけど、仏教の究極的な目的である解脱を志向するものではないので、出家者に説いていた教えとはやはり性質が違いますよね。

在家者に対する教えは、まあ穏当というか、ヤバくはないですねそう。ヤバくはない。ヤバいのは解脱を目指す出家者に対する教えですね。ただ、それがゴータマ・ブッダの仏教の本質的な部分ですから、前回の「仏教はヤバい」という話になったわけですが。

さて、そのような仏教の「ヤバさ」について、近代日本でゴータマ・ブッダの仏教について語る人々は、おおむね二種類の態度をとってきました。その二種類とは何かというと、一つ目は、「日本は仏教国なので、仏教は大事なものだ。だからその仏教がヤバかったら困る」と考える。困ってからどうするかというと、ゴータマ・ブッダの経典はたくさんあって、いろいろなことを説いている。その中から、私たちにとって都合のよいものだけを切り貼りしてしまおうとするわけです。

例えば、「仏教には戒律の思想がある。だからこのとおりに生きれば健全な人生を送れます」とか、あるいは「仏教には慈悲の思想がある。だからこのように生きれば優しくなれます」とか、そのようなゴータマ・ブッダの仏教の私たちにとって都合のいい部分だけを取り出して、それ以外の部分はごまかす。「これはゴータマ・ブッダが比喩で言っただけで、本当はそんな意図では言っていないはずだ」とか、「これは後の時代の人が勝手に付け加えたもので、ゴータマ・ブッダ自身はそんなことは言わなかったはずだ」などと言うわけですよ。この種の議論を、私は「はずだ論」と呼んでいますが。

「はずだ論」ですか

はい。いちばん典型的な「はずだ論」は、輪廻転生に関するものですね。最近の仏教学者にはさすがに少なくなっていますが、ちょっと昔まで、日本の近代仏教学では「ゴータマ・ブッダは輪廻を説かなかったはずだ」という見解が、わりと支配的だった時期があったんですよ。学者の人たちが、真面目にそういうことを言っていたわけです。でも、そんなことは経典のテクストを普通に素直に解釈する限りはあり得ません（輪廻と無我の問題については第4回で詳しく解説します）。

やはりそうなんですね

ええ。しかし彼らは、ゴータマ・ブッダが輪廻転生なんて「非科学的」で「非合理的」なことを説いていると言ってしまったら色々と都合が悪いので、それは後の時代の人が勝手に付け加えた土俗思想の混入だ、ということにして、「ゴータマ・ブッダは輪廻思想などは説かなかったはずだ」と言い張ったわけです。

しかし、輪廻思想というのは最も古いとされている経典にも普通に出てくるものですし、それ以降の仏教思想史でも基本的には維持され続けます。したがって、それを否定するとなると、「ゴータマ・ブッダ以降の二千五百年間、仏教徒たちはみんな間違い続けていたが、二千五百年後の日本に住んでいる僕だけは、ゴータマ・ブッダの『真意』を理解することができました」という話になる。そんなバカなこと、普通に考えたらあり得ないと思うんですけどね。

たしかに、ひどい話ですね

まあそんな時代もあったということです。

というわけで、近代日本でゴータマ・ブッダの仏教について語る人々が示した態度の一つはそれ。私たちの価値観に沿う形で、ゴータマ・ブッダの教説を都合のいいように切り貼りして提示するということです。

そしてもう一つは、ゴータマ・ブッダの教説の「ヤバい」ところはごまかさずに理解した上で、それを「はいはい、くだらない人が考えたくだらない教えね。以上！」で済ませておく。あるいは、「これは所詮、レベルの低い小乗仏教の教えだ」と切り捨てるという態度ですね。

「異性とは目も合わせないニートになれ！」なんて教えは、私たちにとっては実践が難しいし、したがって役にも立たないのでくだらない、ということですね。

そうです。しかし、ここで考えてほしいのは、仏教が曲がりなりにも二千五百年のあいだ続いた宗教であるということです。いま言ってくれたように仏教が端的に役立たずでくだらない教えだったら、そんなに長期間にわたって存続できないだろうということですね。

もちろん仏教にはそれだけの長い歴史がありますから、そのあいだに教理はどんどん複雑になっていく。アビダルマ、唯識《ゆいしき》、華厳《けごん》、天台などなど、とにかく色々と難しい教理があります。ただ、元々のゴータマ・ブッダの仏教というのはそんな煩瑣なものではないんですね。そうではなくて、むしろ非常にシンプルな教えである。

初期の仏教はそんなに複雑な教えではなかったというのは聞いたことがあります

So Buddhism is interesting

ゴータマ・ブッダのシンプルな教え

So Buddhism is interesting

ええ。ゴータマ・ブッダの言ったことを簡単にまとめれば、こういうことです。

私たちは欲望の対象を喜び楽しんで、それをひたすら追い続けるという自然の傾向性をもっている。放っておいたら私たちはそちらのほうへと流れていくのだが、その流れに乗ることなく、現象をありのままに観察しなさい。そうすれば現象の無常・苦・無我を悟ることができ、それらを厭離《おんり》（厭《いと》い離れる）し、離貪《りとん》（貪《むさぼ》りから離れる）して解脱に至ります。

これだけ。すごくシンプルじゃありませんか？

めちゃめちゃシンプルですね

そうでしょう。でも、そうするとちょっと困ることも出てくる。というのも、前回の講義でお話ししたように、私たちは欲望の対象を喜び楽しむという自然の傾向性によって労働と生殖を行い、それでいわゆる「人間的な生活」をしているわけです。ゴータマ・ブッダは、そうした自然の傾向性に逆らえと言っているわけだから、彼の教えは、私たちの価値観からすれば「非人間的」なものになるわけですね。

そうなりますすね

はい。ところがそうすると、以上をまとめれば「ゴータマ・ブッダの仏教というのは非人間的な教えをシンプルに説いたもの」だということになる。これまで言ってきたことを総合すれば、そういうことになりますよね？

そう……なっちゃいますね（笑）

はい。そして非人間的な教えをただシンプルに説いただけのものだったら、「え？　そんなのいらないじゃん」で話が済んでしまいそうです。実際、そう考える人たちもいるわけですね。

ただ、チベットや中国、朝鮮や日本で信奉されている仏教というのは、基本的に大乗仏教だからちょっと毛色が違うけれども、東南アジアでは、色々と変化しているにせよ、いちおうゴータマ・ブッダの言った（とされている）ことをかなりの程度そのまま言葉どおりに受け取って、そのまま実践しているわけです。

ということは、そういう「非人間的でシンプルな教え」をそのとおりにやってよかったと思った人たちが実際には二千五百年間ずっと存在し続けてきたということであり、そして、そうした人たちは現在も世界中に存在しているわけです。

それはそうですね

現代では欧米にも、テーラワーダ（東南アジアで実践されている仏教。詳しくは後述）の教説に沿った実践を行っている瞑想センターがたくさんありますし、そこで熱心に瞑想している西洋人も多いですからね。

日本にもありますよね

ありますね。そして、ここからわかることは、ゴータマ・ブッダの「非人間的でシンプルな教え」を実践して得られた先にあるものに、何かしらの価値があるということ。あるいは少なくとも、そう考えた人たちがずっと存在し続けてきたということです。「非人間的」な教えを実践しても何もいいことがないのだとすれば、それが二千五百年も続くはずがないですからね。

たしかにそうですね。ただ「非人間的」なだけで私たちにとって無益な教えであれば、誰も実践しようとしないだろうし、それならすぐに廃《すた》れちゃいますもんね

はい。では、その「非人間的でシンプルな教えを実践することで得られる価値

とは何であるのか」。今回はその話ですね。

楽しみです！

So Buddhism is interesting

ただ在るだけでfulfilled

So Buddhism is interesting

ではまず、過程も論証も実情も抜きにして、最初に言い切ってしまいますが、ゴータマ・ブッダの「非人間的でシンプルな教え」が私たちに与えてくれる価値というのは、

「ただ在るだけでfulfilled」というエートス。言い換えれば、ただ存在するだけ、ただ、いま・ここに在って呼吸をしているだけで、それだけで「十分に満たされている」という、この世界における居住まい方

です。どういうことかわかりますか？

いや、ちょっとよくわからないです

ですよね（笑）。それをこれから解説します。まず、私の訳した本で、ウ・ジョーティカ師という方が書かれた『自由への旅』というウィパッサナー瞑想の解説書があります。[1] そこで最初に言われていることが、「瞑想はbargainではない」ということなんですね。

バーゲン？　冬物とかの？

ではなくて、bargainという英単語の基本的な意味は「取引」などですから、

1 ミャンマーの僧侶、瞑想指導者であるSayadaw U Jotikaによるウィパッサナー瞑想の解説書。ウェブサイト「ミャンマー仏教書ライブラリー」(http://myanmarbuddhism.info/)より、邦訳のPDF版をダウンロード可能(http://myanmarbuddhism.info/2013/01/10/22/)。

ここで言われているのは「瞑想は取引ではない」ということですね。

瞑想でお金を使った買い物をするわけではないし、それは当たり前のような気もしますが……

そうですね。ただ、お金のやりとりはしないにせよ、瞑想者はしばしば実践に際して取引の文脈を持ち込みがちなんです。

どういうことでしょう？

例えば、「私は○○時間も瞑想したのだから、当然これだけの成果が得られなくてはならない」とか、「これだけのことをしたのだから、そろそろ悟れなくてはおかしい」とか。そんなふうに、「悟り」や「精神集中」や「リラックス」などの成果を買うために、自分の時間や労力を投資するというイメージで瞑想を捉えてしまうわけ。

ああ、それはたしかにありそうですね

まあウ・ジョーティカ師によれば、アメリカには「千ドル払えば悟りにかかるのは三日だけ」とか、そういう本当の「瞑想バーゲン」もあるみたいですが。

（笑）

さて、ではそのように瞑想を「取引」として行うことがなぜいけないのか。それを考えるために、ちょっと仏教用語を導入しましょう。有為（サンカタ）と無為（アサンカタ）という言葉です。これ、聞いたことありますか？

聞いたことはありますけど、意味ははっきりとはわからないですね

「休日を無為に過ごす」とか、そういう日常用語としても使いますからね。ただ、これは元々は仏教用語なんです。有為というのは「為すが有る」と書きますよね。つまり、形成されている、つくられている、造作されている、そうした物

事や状態のことです。そして、形成されているということは、もちろん何かしらの条件があってそうなっているわけですから、それはconditioned、即ち「条件付けられている」という意味にもなる。

無為というのは、その逆ですね。形成されていない、つくられていない、造作されていない、だからunconditioned、条件付けられていない。そのことを無為と称しているわけです。

なるほど

それで、私たちが居るのは有為の世界なんですね。条件によって形成された、つまり縁起によって成り立っている現象の世界に私たちは生きている。仏教の原則的な目標は、その有為の条件付けられた状態から、無為の条件付けられていない状態、即ち涅槃へと至ることです。

そうなんですか！

はい。例えば「いろは歌」というのがありますね。これは空海が作ったと伝えられていて、だから仏教的世界観が語られている。

いろはにほへと　ちりぬるを
わかよたれそ　つねならむ
うゐのおくやま　けふこえて
あさきゆめみし　ゑひもせす

色はにほへど　散りぬるを
我が世たれぞ　常ならむ
有為の奥山　今日越えて
浅き夢見じ　酔ひもせず

というやつですね。ここで「有為の奥山　今日越えて」と言われているのは、そういうわけです。条件付けられていて、ゆえに無常である有為の現象を乗り越えて、無為の涅槃に至りましょうというのが、少なくともゴータマ・ブッダの仏教の場合は、基本的な教説の方向性ですからね。

「いろは歌」にはそんな意味が！

実はあったんです。私たちの生きている現象の世界が有為だというのは、「科学的」に考えてもわかりますね。この世界の現象は、全て先行する原因によって条件付けられている。例えば、この地球の空気や私たちの身体だって、全て何かしらの先行する現象が原因となり条件となり、それで成立しているわけですよね。

そして、そうでない現象、つまり先行する原因に条件付けられていない現象というのは、少なくとも私たちが普通に観察する範囲には存在しない。だから、私たちが生きているこの世界の中の現象は、私たち自身も含めて、基本的には全て「有為」のものであるわけです。

じゃあ、その有為の現象を乗り越えて無為の涅槃に至るというのは……

「世界」の外に出てしまうことを意味しますよね。だから、仏教では有為の現象の世界のことを「世間（ローカ）」、そして涅槃のことを、それを超出した境域として、「出世間（ロークッタラ）」と呼称しているわけです。

なるほど！

まあそのことには、後にまたふれる機会があると思います。そこで瞑想と取引の話に戻しますが、私たちが生きているのはそのように条件付けられた有為の現象の世界であって、その中で私たちは、常に取引をしながら人生を過ごしている。

どういうことかと申しますと、例えば、お腹が空いたら、ごはんを食べればお腹がいっぱいになりますね。「取引」をするというのはそういうことであって、わかりやすく言い換えれば、「こうすればこうなる式のものの考え方」で生きているということです。Aを満たせばBという結果が出るだろう、という思考のフレームで生きている。例えば、僕はモテなくて悲しい、だからいっぱいお金を稼いで金持ちになればモテるようになるだろうとか。あるいは、整形して顔を綺麗にすればモテるだろうとか。そのように、「こういう条件を整えれば、こういう結果が出るだろう」という考え方に基づいて、私たちは行動しているわけですね。

私たちは条件によって形成されている存在だし、この世界の現象全ても、条件によって形成されているものである。私たちはその中で、己の快感原則（＝快感を追い求めて不快を避けるという生物の基本傾向）にしたがって欲望の対象を恋い求め、その衝動に条件付けられて行為している。そのように何かをすれば、自分の欲望や自分の欠如、仏教の用語で表現すれば、自分の「渇愛《かつあい》（タンハー、喉の渇いた人が水を求めるような強い欲望）」が満たされるだろうと思って行為するわけです。それが私たちの、人生においてやり続けていることですね。

たしかにそうですね

ええ、だから瞑想でもそれをやる人がいるわけですよ。つまり、「悟り」というものを目標として、「僕はいまつらいから、ここで一発悟っておけばつらくなくなるんじゃないか」というふうに考えて、それで瞑想をやろうとする。瞑想というのは「悟り」という目的を達成するための手段だろう。そして手段である以上は、それを一定の条件を満たしつつ実行すれば、目標に到達することができるはずだ。そう考えて、「先生、じゃあ僕は何時間座ればいいんですか？」「何時間座ったら、どういう結果になるんですか？　きっちり教えてください」などと言う人もいるわけです。それは「取引」ですよね。つまり、「僕はこれだけ瞑想しました」「こういう姿勢でやりました」「こういう技術でやりました」「この先生に教わりました」「だからこういう結果が得られるはずだ」と取引をしているわけです。

瞑想を何かの目標を達成するための「手段」だと考える。だから瞑想のための技術や時間が、結果を回収するための「投資」になってしまうわけですね

そういうことです。でも瞑想というのは、そもそもそういった営みではない。ウ・ジョーティカ師が言っているのはそのことです。瞑想というのは、こうすればこうなる、これをやればこれを得られるといった「こうすればこうなる式のものの考え方」によって有為の世界の中を生き続けることを、少なくとも一時的に

停止すること。

いま話したような「取引」の文脈を離れて、つまり、これが得られるから幸福、これが得られなければ不幸、というような物語から一切離れて、「ただ在るだけで fulfilled」「いま、私がただ存在し、ただ呼吸している、それだけで十分」という、そのようなエートスであり続けること、それそのものが瞑想なんですね。

ただ存在するだけで十分に満たされているという「この世界における居住まい方」が瞑想なのだから、それは決して別の結果を得るための「手段」にはなり得ない、ということでしょうか

まさにそういうことですね。そして、このことをより深く理解するために大切なのが、仏教における最重要の概念の一つであるところの「苦（ドゥッカ）」です。

ドゥッカ、ですか

はい。この言葉は一般には「苦」と訳されているのですが、私たちはこの用語を漢字の字面で判断してしまいがちですよね。つまり、「苦」というのは「苦しみ」のことだから、これは肉体的・精神的な、はっきりした苦痛のことを言うのだと考える。

まあ、そう思っちゃいますよね

はい。でも、「苦」という概念は、実はもう少し広い意味の射程をもっています。これは気の利いた仏教の入門書なら書いてあることかもしれませんが、いちおう説明しておくと、「苦」といっても教理的にはいろいろ種類がありまして、苦苦、壊苦、行苦の三苦に分かれたりしますが、その本質的な意味は何であるか。例えば、「お腹が空いて苦しい」「事故に遭って身体が痛い」「ナンパしたら『キモっ』って言われて傷付いた」とか、そういった肉体的・精神的な苦痛というのももちろん「苦」ですが、それだけではありません。それだけが「苦」だとすると、お腹がいっぱいだったら「苦」ではないのか、彼女がいれば「苦」ではないのか、五体満足だったら「苦」ではないのかという話になりますよね。そうすると、例えば出家以前の超絶リア充スーパーイケメン大金持ちのゴータマ・ブッダには、「苦」なんかまるでなかったということになる。しかし、仏教ではそうは考えない。出家前のゴータマ・ブッダの人生にも、きちんと「苦」はあったわけです。

世俗的な必要・欲求が全て満たされていたとしても、それで仏教的な「苦」がなくなるわけではない、ということですね

そういうことです。では、ならば「苦」とは何であるのか。最近の英訳ですと、この言葉はしばしばunsatisfactorinessとされます。文字どおりには「不満足」という意味になりますが、これは非常に適訳だと思いますね。

「苦」の意味は「不満足」だということですか？

そうです。「苦」というのは不満足ですし、もっと言えば、その不満足に終わりがないことですね。どういうことかと申しますと、例えばすごくお腹が空いていて、そこで目の前に料理が出てきたら喜んで食べますよね？　でも、一時間もご飯を食べ続けたらどうなりますか？　見るのも嫌になってくるでしょう。あるいは、踊ることが好きな人がクラブに行ったとして、それで踊っているあいだは楽しいかもしれないけど、十時間踊ってください、と言われたら結構キツいですよね。そんなに楽しくはないでしょう、きっと。また、「美人にも三日で飽きる」とか、よく言われたりしますよね。

そうですね

それはつまりどういうことかというと、私たちは常に新しい刺激、欲望の対象を求めていて、それが満たされたら「ああ幸せだなあ」と思うのだけど、満たされたままでずっといられるわけではなくて、常に新しい刺激を求め続けなければいられないわけですよ。一つ満たされたら、それで終わりということはないんですね。

例えば、「同僚のあの女は素敵なバッグを持っていて悔しい」と思って、一生懸命に働いた給料でバッグを買う。バッグを買うことができたら「やった〜」と思って喜ぶかもしれないけど、徐々にその喜びも薄れてきて、今度はまた「あの女はあんな素敵な服を着ていて悔しい、畜生、私も買わなきゃ」みたいな感じになることはよくありますね。

よくあることですね

つまり、欲求充足の行為には際限がないわけです。不満足に終わりがない。私たちは「刺激ジャンキー」になっていて、常に新しい刺激を求めながら生きている。そして、新しい刺激・欲望の対象を思い浮かべては、頑張ってそれをゲットして、そうしたら今度はまた次のものをどんどん欲しがる。

私たちはそのように、常に新しい刺激を次から次へ補充していくという以外に幸福を感じる方法を知らないわけです。「これでもう十分に満たされた」ということがないんですね。「苦」というのは、根源的にはその事態を指しています。私たちは常に「不満足」であり、そして、その欠落を満たそうとする行為には際限がない。

たしかにそうですね。普通の人は、「十分に満たされた。これで終わり」という状態になることは死ぬまでありません

ええ。ただ、仏教はインドの思想ですから、話は「死ぬまで」では終わりません。

輪廻転生があるから、ということですか？

そうです。いま申し上げたとおり、多くの人々は、「欲しいもの」があって、それを得られて幸せだと思ったり、それが得られなかったら不幸だと思う。そのサイクルをずっと繰り返して生きているわけですね。

ところが、日本でそのことを言うと、たいてい「それが人生でしょ？」「何が悪いの？」という反応が返ってきます。まあ、それは当然のことだと思うんですね。

というのも、もし人生が一回きりだったら、快楽と苦痛のバランスシートで、一生のあいだに快楽のほうをプラスにできれば、それで人生は勝ちなわけですよ。要するに、かりに「刺激ジャンキー」であったとしても、それで刺激をずっ

と補充し続けることに成功して、結果として快楽を感じる経験が、刺激を補充できずに不快になる経験より多ければそれでいいじゃないか、と考えるわけです。日本人には、こういう発想の人が多いですね。

そうかもしれません。「幸福」の尺度が「不快の総量より快楽の総量が多いこと」以外になかったら、そのように考えておくしかないですからね

はい。もちろん、そこは個人の信念の問題ですから、それはそれでいいと言えばいいんです。ただ、仏教ではそのように考えることは基本的にありません。

So Buddhism is interesting

永遠のRPGのレベル上げ

So Buddhism is interesting

それが輪廻転生の世界観と関係しているのでしょうか？

そうですね。これは仏教に限らない、インド思想全体の傾向ですが、彼らは多くの場合、輪廻転生の世界観を受け入れた上で、そこから解脱することを目指します。

では、なぜ彼らは解脱したがるのかと申しますと、それは不満足の終わりのなさのレベルが、日本人のタイムスケールとは全然違うからなんですね。「刺激ジャンキー」として人生を過ごすことが、一回だけならいいんですよ。せいぜい百年程度の時間をなんとかつぶしきって、「はい、終わり〜」って意識がゼロになるんだったらそれでいいわけですからね。

ところが、インド思想の場合はそうはいかない。解脱するまでは輪廻転生を繰り返すわけですから、「馬の鼻先にニンジンをぶら下げる」の話じゃないですけど、いつまで経っても満たされない、もう少し走れば食べられるかもと走り続ける馬のような不満足の生を、億どころではなく、兆、京《けい》、垓《がい》……さらにもっと、数えきれないほど終わりなく繰り返すわけです。

解脱して輪廻から抜けるまでは、新たな刺激を常に求め続ける不満足の生が終わらないことになるわけですねええ。喩《たと》えて言えば、ＲＰＧ（ロール・プレイング・ゲーム）のレベル上げを何度も繰り返すようなものですね。ＲＰＧの世界のどこかに生まれて、レベル上げをずっとしていく。それでレベル67になったくらいでプチンと電源を落とされるわけです。そうしたらまた次の世界に生まれて、そこでレベル１から再びレベル上げがはじまるという（笑）。

つらいですね（笑）

そうですね。まあテレビゲームというのは客観的に見れば生産性のないことですが、やっている本人はとりあえず楽しいので、いちおうレベル１からはじめてスライムなどの弱い敵を倒しつつレベルを上げていくわけです。

しかし、それで例えばレベル70までいって「なかなか強くなったな」と思ったら、そこでいきなりゲーム機の電源が切られてしまってリセットになる。そうして次に気がついたら今度はスライムから倒していけるような甘い環境ではなくて、周囲をドラゴンが徘徊しているようなハードな街に生まれてしまって、それで瞬殺されてしまったりする。

実際、日本に生まれるのと紛争地帯に生まれるのとでは、人生のハードさが違うでしょうしね

そう。それに人間に生まれるとも限りませんしね。蚊に生まれて人間に瞬殺されることもあり得る。

それはつらい（笑）

まあとにかく、そんな感じで客観的に見れば生産性のないRPGのレベル上げを、何度も何度も繰り返す。インド文化圏の人たちが「解脱」を求める際の輪廻転生のイメージは、そういうものだと思ってください。

そして、これは日本人にはどうしても感覚的にわかりにくいことなのですが、インド文化圏の人たちにとって、輪廻転生というのは物語とかネタではなくて「事実」です。つまり、私たち日本人が、自分が将来的に死ぬであろうことを経

験はしていないが「事実」であると考えているのと同様に、インド文化圏の人たちは、自分がこれまで輪廻転生を繰り返してきて、そしてこれからも同様に繰り返すであろうことを「事実」であると考えている。上座部圏[2]ではよく唱えられる『ダンマパダ（法句経）』の偈（詩）に、「生を何度も繰り返すのは苦しいことである」という意味のフレーズがありますが、[3]この背景にあるのは、そのような「実感」ですね。不満足の生が一回で終わるのならよいのだけど、インド文化圏の人たちにとってはそうではない。「ＲＰＧのレベル上げ」は、終わりなく繰り返されるわけです。

そう考えると、たしかにちょっとうんざりしてきますね

ええ。あと、日本人は「輪廻」と言えば再生のことをイメージしますが、ちょっと考えてみればわかるように、再生したからには、必ず再死するわけです。再び生まれた以上は、再び死ななくてはならないんですね。母胎に生じたその瞬間から、私たちは生老病という絶対的な苦を経験した上で、最終的には必ず死ぬことを運命づけられている。誰だって死ぬことは嫌ですよね。にもかかわらず、輪廻転生のプロセスの中にある衆生（感覚のある生き物たち）は、死ぬことを何度も何度も繰り返す。そして、その生と死のあいだの時間は、全て終わりのない不満足として、無益に消費され続けるわけです。そんなことはもううんざりだから、そうしたプロセスからは抜け出したい。これが、インド人が「解脱」を求めた理由です。

So Buddhism is interesting

「金パン教徒」

So Buddhism is interesting

なるほど。たしかに「解脱」ということの意味は、輪廻転生の世界観を前提としないとわかりにくいですね

2 国民のあいだで主にテーラワーダ仏教が信仰されている地域・国々のこと。スリランカ、ミャンマー、タイ、カンボジア、ラオスの五ヵ国が中心である。

3 第一五三偈

ええ。そういうことですから、いまの話を聞いて「俺は仏教徒でもないし、別に輪廻転生も信じていないし、だから俺の生はこのままでいいな」と考える人は多いと思うんです。私はよく「金《かね》パン教徒」という言葉を使うんですが、これは金とパンツ、つまりは金銭と性愛を人生の基本的な動機と目標であると考える人たちのことです。そうして、「お金を追いかけて異性をたくさんゲットして、刺激を補充し続けて死ぬことができるなら、僕は別にそれでいい。金パン教徒で全く構わない。それ以外の人生のモードなんて、僕にはまるで必要ないんだ」と言いきれるのであれば、別にそれはそれでいいと思うんです。それはその人の人生だし、そうした人たちに言えることは仏教の立場からは何もないですからね。

現代日本人には、自覚的に「金パン教徒」である人たちも多いですからね

そうですね。仏教では、絶対に悟れない人たちのことを「一闡提《いっせんだい》（イッチャンティカ）」というんですが、これは何かというと、「欲する人、欲求する人」という意味です。つまり、先ほど出した喩えで言えば、鼻先にニンジンをぶら下げられた馬のように、ひたすら欲望の対象を追いかけ続けて時間を過ごすことが人生の内容であって、それ以外のことはどうでもいいんだ、と思っている人たちのことです。

そういう人たちには、仏教の言葉というのは基本的に通じないんですね。というのは、仏教というのは、そういう生き方だけじゃなくて別のモードを探しましょうという教えだからです。言い換えれば、前回お話ししたように、生き物にとっては欲望の対象を喜び楽しんで追いかけるのが自然な傾向性であり、自然な流れです。しかしながら、その流れに敢えて逆らいましょうと教えるのがゴータマ・ブッダの仏教である以上、「一闡提」の人たちは彼の教説の対象にはならないんですよ。

「欲求し続けることのみが人生だ」と思っている人に対して、「欲望の流れに敢えて逆らえ」と教えても、「なんでそんなことしなきゃいけないの?」と言われてしまうだけですからね

そうです。ただ、金パン教的な生き方、もしくは「一闡提」的な生き方というのは、仏教の価値観から離れれば、それ自体は善いとも悪いとも言えない。なぜ

かというと、そういう盲目的な欲望があるからこそ、私たちは異性を求め、家族をつくり、あるいは、一生懸命働いてお金を稼いで、人々とコミュニケーションして、社会を形成することもできるわけですからね。

「金パン」的な価値観によって、現代社会が多く形成されているのは事実ですね

そうです。そもそも「善悪」というのは何か特定の価値体系を前提としてはじめて判断され得るものですから、少なくともゴータマ・ブッダの仏教の価値体系において「金パン」は善とは言えないけれども、その価値体系を前提としなければ、もちろん別の善悪の判断はあり得るわけです。

だから、大切なのはこれまで述べてきたような仏教の思想が、あなた自身にとって価値があるかどうかです。金とパンツ、金銭と性愛だけに価値を見出して、そうした欲望の対象を追いかけ続けることだけが人生の内容であると考えるのか。それとも、人生にはそれ以外のモード、即ち、欲望の対象が得られるか得られないかということには全く関わりなく、「ただ在るだけでfulfilled」というエートスが必要であると考えるのか。

もちろん、そこで「異性とは目も合わせないニート」になるかどうかは別の話です。ただ、だからといって、単なる「一闡提」になりたいわけでもない。つまり、欲望だけを追いかけて、それ以外のモードを全く知らずに人生を終わりたいわけでもない。そういうふうに感じている人も、少しはいるかもしれません。

仏教に関心をもつのは、基本的にそういう人たちでしょうね

そうでしょうね。いずれにせよ、私たちは必ず死んでしまうわけです。イエス・キリストもムハンマドも、ゴータマ・ブッダも全員死にました。死ななかった人間というのはこれまでの世界には存在しない。私たちは必ず死ぬし、地球も太陽にのみこまれて、五十億年後くらいにはなくなるし、この宇宙だって、いつかは消えてしまうでしょう。では、そうした中で欲望をひたすら追い求める私たちの人生とは何であるのか。「意味などないのだ!」という、無自覚のままに単に意味の世界に逃げ戻っているにすぎない例のクリシェには満足できずに、その問いを心に抱き続ける人たちもいると思います。

そういう人たちが、条件付けられた己の在り方——即ち、生まれた時から何か

しらの欲求や衝動に引きずり回されて、それで右往左往して喜んだり悲しんだりした上で、その過程を全体として、何とか「人生の幸福」だと自分に言い聞かせようとするような在り方——とは別のエートス（世界における居住まい方）を見てみたいと思うのであれば、あるいは、そのような「別のモード」も自分の中にビルトインしてみたいと思うのであれば、そういう人たちは、仏教についてちょっと考えてみてもいいかもしれませんね。

第3回
仏教の基本

さて、連続講義の第3回ですね。よろしくお願いします。

よろしくお願いします

今回のテーマは「仏教の基本」です。前回の講義では仏教の核心的な意義についてお話をいたしましたので、これから徐々に各論、つまり仏教にまつわる様々なトピックに関してお話を進めていきます。ただ、仏教というのはやはり長い伝統をもつ特殊な宗教思想ですから、そこには独特の術語や発想で、私たちにとっては馴染《なじ》みのないものも多くある。これから仏教の話をしていく上で、そうした基礎的な概念に関する理解は大切になりますから、今日は本講義に必要な限りにおいて、その解説をするわけです。

楽しみです!

So Buddhism is interesting

仏と菩薩

So Buddhism is interesting

では、まず基本中の基本ですが、一般には必ずしも理解されていないところから。仏教には仏と菩薩というのがいるらしい、ということは多くの方が知っていると思いますが、では、その「仏」と「菩薩」の違いというのは何であるかわかりますか？

いや、ちょっとわからないです

改めて訊《き》かれるとわからないですよね。まず「仏」というのは何かというと、これは原語（サンスクリット語）では「ブッダ」と言います。意味は「目覚めた人」。といいますのも、仏教というのは「悟る」ための宗教ですよね、基本的には。そこで「目覚めた人・悟った人」のことを一般に「ブッダ」、つまり「仏」

と呼ぶ。「目覚めた人」である仏が教えるから「仏教」なんですね。ですから、「ブッダ」というのは「悟った人／目覚めた人」を指す一般名詞であって、仏教の開祖である一個人を指す固有名詞では必ずしもありません。そういうふうに使っている人もいますけどね。

魚川さんが「ゴータマ・ブッダ」と言う時には、その「仏教の開祖である歴史上の人」を、とくに指しているわけですね

そういうことです。では、次に「菩薩」とは何かというと、これは原語では「ボーディ・サットヴァ」と言います。「ボーディ」というのは「菩提《ぼだい》」、つまりは「悟り」のことですね。「サットヴァ」というのは、いわゆる「衆生」、つまりは生き物全般のことです。したがって、「ボーディ・サットヴァ」というのは、一般には「悟りに向かう衆生」のことを意味します。「仏」になるために努力して頑張っている、「悟り」に向かって進んでいる衆生のことを、「菩薩」と呼んでいるわけですね。

ただ、この言葉は元々は「悟りに向かう衆生一般」のことではなくて、ゴータマ・ブッダが「ブッダ」になる前、パーリ語なら「ゴータマ・シッダッタ」、サンスクリット語だったら「ガウタマ・シッダールタ」という名前だったのですが、その「悟る」前のゴータマ・ブッダのことを「菩薩」と言っていたわけです。

なお、インド思想の場合は、前回お話ししたように輪廻思想が前提なので、「悟る」前のブッダというのは、カピラヴァストゥというお城で生まれて、妻子を捨てて出家をして、三十五歳で悟るまでのゴータマさんのことだけではなくて、その長大な前世も含んでいます。

「ブッダ」になる前の輪廻転生の過程でも「菩薩」だったわけですね

そうです。伝統的な仏教の前提として、ブッダというのはとんでもなく長い期間ひたすら修行を積み続けて、その結果としてやっとブッダになれました、ということになっています。例えば、南伝だったら「四阿僧祇百千劫」、北伝だと「三阿僧祇百劫」という期間を修行していたんですね。

「シアソウギヒャクセンゴウ」と「サンアソウギヒャクゴウ」(笑)

何言ってるのかわからないですよね(笑)。解説します。「劫」(カルパ)というのは、一つの世界が生成してから消滅するまでの期間のことです。かりに現代風に言うとすれば、ビッグバンからビッグクランチまでとも表現できるかもしれません。そして「阿僧祇」というのは、十の百四十乗だとかなんだとか言われますが、そもそも原語が「アサンクヤ」という言葉で、「数え切れない」という意味なんですね。

要するに、「ビッグバンからビッグクランチまでのあいだの宇宙の生成消滅を十の百四十乗とかそういうオーダーで数え切れないくらい繰り返す×四+百千劫」。それくらいの長い期間、たいへんな修行を繰り返してきた結果、やっとゴータマさんは「ブッダ」になることができました、というお話なわけです。

長期間すぎて、もうよくわからないですね

まったくですね。まあとにかく、そのような想像もつかないくらい長大な修行の期間も含めて、そのあいだ生まれ変わり死に変わりし続けてきた「悟る」以前のゴータマさん（たち）のことを、総じて「菩薩」と言っていたわけです。

なるほど、わかりました

ブッダと阿羅漢

So Buddhism is interesting

さて、そんなわけでブッダというのは、（教理的に言えば）前世の長い修行のおかげで「目覚めた人」として完全に「悟る」ことを達成した存在です。これに対して、パンピー（一般人）であるところの普通の仏弟子はどうなるのか。つまり、それまで長期間の修行を続けてきたわけでは必ずしもない。そうではないけど、たまたまブッダの教えに出会いました。それで、「ああ、これはいいな！」と修行しようと思いました。その修行が上手くいって、それで解脱を達成したらどうなるのでしょう？

ブッダにはならないんですよね

はい、なりません。

ブッダではない解脱者というと、「阿羅漢《あらかん》」というのを聞いたことがあります

それです！　パンピーは、ゴータマ・ブッダのように凄まじく長い期間の修行をして徳を積み重ねてきてはいない。だから、「仏」にはなれない。しかし、今生で一生懸命に修行をして煩悩を滅尽《めつじん》すると、輪廻から解脱した「阿羅漢」になることはできるんです。

なるほど。パンピーは今生で仏にはなることができないけど、阿羅漢にはなれる可能性があると

はい。もちろん文献を丁寧に見て、各セクト（宗派）ごとの考え方の違いに目

を配れば、色々と問題は出てくるんですが、とりあえずはそのように理解しておいても構わないと思います。
さて、ではそのように長大な修行の結果としてブッダになるとしますよね。それだけ長い期間をかけて成仏したブッダと、パンピーがなることのできる阿羅漢。この両者のあいだでは何が違うと思いますか？

うーん……。尊敬の意味を込めて呼び方が違うだけでしょうか？

単に呼び方だけが違うとしたら、ゴータマ・ブッダが四阿僧祇だか三阿僧祇だかかけて修行して得られたのは、単に「ブッダ」という呼称だけだということになる。それはちょっと虚しくないですか？

それもそうですねぇ

例えばRPGだったら、メインストーリーとは別のサブクエストをたくさんこなすと、得られるレアアイテムとかがあったりしますよね。仏教だったら、「煩悩を滅尽して解脱する」というのがメインストーリーになりますが、ブッダは前世でそれ以外のサブクエスト（利他行）もたくさんこなしてきた。その結果として「成仏」したわけです。ならば、それによって得られたレアアイテムとは何であるのか。

うーん、何でしょう。ちょっとわからないです

教理的に細かいことを申しますと「十八不共法《じゅうはちふぐうほう》」、つまり十八のブッダにしかない特性とか、そういったものがあるのですが、それはググればすぐに出てくるので放っておくとしてですね、すごく端的にわかりやすく言えば、ブッダには「一切智《いっさいち》」があるんです。

「一切智」ですか

はい。この「一切智」というのは何かと申しますと、阿羅漢というのは自分自身の欲望は滅している。だから己の汚れたところについてはちゃんとわかってい

て、自身が欲望の対象を喜び楽しむ傾向性を身につけてしまっている、その根源を徹見して、そこに関する無知（無明）は滅尽している。

けれども、対象世界の一般のこと、解脱とは関係ないこと、例えば「この人はどんな人だろう」とか「世界の構造はどうなっているのだろう」とかそういうことは、別に知ろうが知るまいが解脱することはできますから、そういうことに関しては、必ずしも知識をもってはいません。

しかしながら、ブッダは「一切智」をもっているから、そうした対象世界一般に関しても完璧に知っているとされているんですね。そのような「一切智」をもっているからこそ、彼には自分以外の衆生を広く救う能力がある。自分の煩悩を滅尽しただけではなく、「一切智」をもっていて、この世界のことを全部わかっているから、いまのこの世の状態がどうなっているかとか、目の前の人はこういう奴だとか、そういったことも全てわかるから、ゆえに衆生たちのことを広く適切に救うことができるわけです。加えて、彼には衆生の苦を抜きたいと強く志す「大悲《だいひ》」も備わっていますから、要するにブッダには衆生を広汎《こうはん》に救済する、動機も能力もあるわけです。

それがブッダと阿羅漢の違い。ものすごく教科書的に言えばですが、阿羅漢というのは自分だけを救うもので、ブッダは自分だけじゃなくて広く衆生一般を救う力をもっている、とされるわけです。

なるほど。前世に積み上げた修行の結果として、ブッダには衆生救済の能力が備わっているわけですね

基本的にはそういうことです。

So Buddhism is interesting

「小乗」仏教と大乗仏教

So Buddhism is interesting

さて、そうしますと、いまの話との関連で、いわゆる「小乗」仏教と大乗仏教の違いが何となく見えてくるのではないかと思います。両者の違いを推測することはできますか?

小乗は自分のために修行する。大乗は衆生のために修行するということでしょうか？

まあ原則的にはそうなのですが、ただ、ここでひとつ注意をしておかねばならないことがあります。それは「小乗」というのが基本的に大乗の側からの貶称《へんしょう》であって、つまりいわゆる「初期経典」におけるゴータマ・ブッダの教えを墨守《ぼくしゅ》して、単に阿羅漢になることを目指している奴らなんだと、貶《おとし》めて言った呼称であるということです。

ああ、それは聞いたことがあります

例えば、昔だったら日本でもテーラワーダ仏教というのは、いわゆる「小乗仏教」であると紹介されることが結構あったんです。でも彼ら自身は自分たちのことを「小乗（ヒーナヤーナ）」なんて絶対に言いませんし、あくまでテーラワーダ（上座部）であると自称している。それは「小乗」というのが、単に大乗の側からする貶称にすぎないからです。

たしかに、テーラワーダの人たちからしたら、失礼きわまりない話ですよね

ええ。ですから、「小乗」に当たるセクトを現在ある仏教の中から探すとすれば、それはテーラワーダだろうと思いますけど、いまそのテーラワーダに対して「小乗」という呼称を使用するのは、基本的にNGなんです。ですから、ここで「小乗（仏教）」というのは、あくまで日本でよく使われる言葉の解説として申し上げています。

わかりました

さて、では大乗の側からした場合、彼らの目標というのは何になることだと思いますか?

仏でしょうか?

究極の目標は仏に成ること、つまりは「成仏」ですよね。だから大乗の人たちは、いわゆる「小乗」の人たちと何が違うと主張するのかと言いますと、彼らからすると、「小乗」仏教の徒というのは、自分だけが煩悩を滅尽して阿羅漢になり、それで輪廻から解脱して「はい、おしまい。これで僕は救われた」、そういう器の小さいことをしている奴らだ、ということになるわけです。

自分自身の救済しか考えていない、ということですね

はい。もちろん、これはあくまで「大乗」の側の言い分ですけどね。では、彼らは「小乗」の人たちとどう違う(と自己規定する)のか。先ほど言っていただいたように、大乗仏教では阿羅漢ではなくて、基本的には仏になることを目指すのが原則です。つまり、「僕らはブッダになることで、自分だけではなくて、この世界の全ての人々、一切の衆生を残りなく救いきるんだ。僕が成仏してそれをやるんだ!」というふうに考える人たちが大乗仏教徒であると、基本的には考えてよい。

まさに目標が「大きい」と

そうですね。だから自分自身が輪廻から解脱して、それで救われることを目指すというのは、「小乗」、即ち「小さな乗り物」であると大乗の人たちは言うわけです。対して、俺たちの乗り物は、修行する本人だけじゃなくて、一切衆生を全部乗せて彼岸（涅槃）まで運んでいくことができる大きな乗り物だよ、ということで、自分たちは「大乗」だと宣言する。ゴータマさんに続いて、自分自身もブッダになって、一切衆生を救ってやるぞ。そういう目標を立てるのが大乗の人たちです。

それだけ聞くと、やっぱり大乗のほうがいいんじゃないかという気もしてきますね

いまのは大乗の人たちの言い分だから、当然そう聞こえますよね（笑）。だけど別の観点から見れば、当然いくつか問題もあるわけです。まず、ゴータマ・ブッダ自身は、初期経典による限り、そういう「大乗」的な主張はとくにしていないわけですよ。彼自身の教えによるならば、解脱（「悟り」）というのは、基本的に

この世において達成可能なものです。「私の教えにしたがえば、現法に、つまり目の前のこの世界で、今生において涅槃に達することができますよ」とゴータマ・ブッダは言っています。

しかし「成仏」を目指すということになれば、いまから三阿僧祇百劫とかの修行をするわけじゃないですか。この人生から「やるぞ!」と決心して、それからとんでもない長期間、ビッグバンからビッグクランチまでを十の百四十乗回×三みたいなことを繰り返して、それでやっとブッダになるわけですよね。

阿羅漢ではなくて仏になるというのは、そういうことでしたよね

でもそれって、ゴータマ・ブッダの語っているところとは、微妙なずれがやはりある。だって、「衆生みんなを救うブッダに俺はなる!」と言うのだけれども、現実問題として、とりあえずゴータマ・ブッダというブッダはもう既に世に出ているわけでしょう。そうして、救われるための方法論を、ちゃんと私たちに開示しているじゃないですか。

たしかにそうですね

衆生が救われるための具体的な方法論であれば、既にゴータマ・ブッダがきちんと提示してくれている。既にその素晴らしいメソッドが目の前にあるのに、それを敢えて無視して、「僕はいまから三阿僧祇百劫の修行をするんだ！それで、もう一回ブッダが発見したのと同じ方法を再発見して、また人々に語るんだ！」って、ちょっと話がおかしくないですか？　だってもう既に方法は出ているじゃありませんか。しかも自分でそれを知っているわけでしょう？　だったら仏弟子としては、ゴータマ・ブッダがそうしなさいと言ったとおり、その修行をやって煩悩を滅尽して阿羅漢になるのが大正義じゃないですか。

そうですよね。先延ばし的になっちゃってますよね

ええ、解脱が先延ばしにされています。もう既に方法は出ていて、ゴータマ・ブッダはそれをやって今生で悟りなさい、と言っているのに、それをスルーして、「いや、僕はいまから三阿僧祇百劫の利他行をやるんだ！　それで、もう一

回ブッダが発見したのと同じ方法を再発見して、もう一回衆生に説くんだ！」というのは妙な話です。

既に解脱して苦から抜け出すための方法論は確立されているのに、そちらには敢えて行かずに、「俺たちはみんなで成仏する方向を目指そう！」というのは、たしかにちょっと不思議な理論ですね

はい。だから、いわゆる「初期経典」、つまり、元々のゴータマ・ブッダの教えに近いと言われている経典の内容だけだと、大乗仏教の人たちが自らの運動の理論的な根拠にするにはちょっと弱い。そこで大乗の人たちはどうしたかというと、「自分たちにとって必要なことが書いてある経典がないんだったら、我々で新しい経典を作ってしまえばいいじゃないか！」ということで、自ら新しい経典の制作をはじめるわけです。

自分で経典を新しく書いてしまったわけですか！

そうです。こうした大乗経典の性質を語る際には、私はいつも、ニコニコ動画などで有名な蝉丸Pの「大乗経典同人誌論」というのをお借りしています。[1]これは聞いたことありますか？

いや、恥ずかしながらはじめてです

では解説しますね。同人誌といいますと、「新世紀エヴァンゲリオン（エヴァ）」あたりは有名で古典的なアニメですので、それを例としてお話しいたします。

エヴァンゲリオンがテレビで放映されたのは、一九九五年でしたね。たいへんに流行したものですから、その後、エヴァに関する同人誌が大量に出されました。同人誌というのは色々な思いがあって作られるものだと思うのですが、一つの動機として言えるのは、元のオリジナルの世界観というものをある程度引き継ぎつつ、そのキャラを使って自分の理想とする世界を描きたい。オリジナルにはないけれども、自分が素敵だと感じる世界を、原作の世界観を借用しながら自分で創りたいと思って描くものだと思うんですね、一つはね。

あともう一つ考えられる動機として、オリジナルにはもの凄く自分は影響を受けている。自分はエヴァを見てしまった。エヴァを知らなかった自分には戻れない。戻れないけれども、でもエヴァのあの展開だけは許せない、みたいな心理がはたらく人もいるようですね。これも人によることだとは思いますが。

オリジナルの作品のことは大好きだけど、どうしても許せない部分もあるから、愛憎半ばしてしまう、みたいなことですかね

ええ。例えば、元のテレビ版のエヴァでは、アスカという女の子がずいぶん酷《ひど》い目に遭《あ》ったので、当時はそれにかなり腹を立てている人たちもいました。「監督許せない、アスカをあんなに酷い目に遭わせるなんて」と。でも、同時にその人は、基本的にエヴァのことを忘れられないわけですよ。自分の中に、エヴァと

1 ウェブ上に解説動画（http://www.nicovideo.jp/watch/sm6347888）あり。ここでは仏教の各宗派の成立が、「原作」と「二次創作」の関係になぞらえて解説されている。また、『蝉丸Pのつれづれ仏教講座』（エンターブレイン、二〇一二）二八頁以下にも、同内容の記述がある。

いう作品が深く刻印されてしまったわけだから。

感情的になってしまうのは、むしろどうしようもなく影響されているからですからね

はい。ならばどうするか。そこで彼らの一部は、エヴァを自分で新しく語り直そうとした。つまり、道具立ては原作とほとんど同じで、シンジくんがいて、レイがいて、アスカがいて、碇ゲンドウがいて、冬月副司令がいて、ミサトさんがいて、リツコさんがいて、汎用人型決戦兵器エヴァンゲリオンがあって、使徒がやってきて、そいつを倒す。そういう基本的な道具立ては全部同じ。そうしてストーリーも基本的には引き継ぎつつ、でもアスカだけは幸せにするっていう、新しい二次創作の世界を描いたりしたわけです。

そういう同人誌を作った人たちもいた、と

はい。もちろん同人誌というのには、他にも色々な方向性があり得ますね。別

にアスカが酷い目に遭うのは個人的に全く気にならないけど、そこではなくて、「とにかく俺は戦っているのが好きだから、恋愛要素とかはなしにして、とにかくもっと強い使徒がやってきて、そいつをひたすら倒す同人誌がいい」とかね。あるいは、「俺は使徒と戦うのはどうでもいいから、ずっとイチャイチャしているほうがいい」という人であれば、テレビ版の二十六話に出てきたみたいな学園エヴァのように、使徒とかは一切出てこない、アスカとレイとシンジがミサト先生の教室でひたすら楽しく遊ぶ、みたいな、そういうのを描いたりすることもあり得るわけです。

──オリジナルの作品から、自分の好きな要素を取り出して、ひたすらそれを追求する、新しい二次創作の世界を描くわけですね

そうです。そして大乗経典も、基本的には同じことをやっています。つまり、元々のゴータマ・ブッダの説を記した経典という、オリジナルはいちおうある。オリジナルはあるのだけど、その一部がどうも自分には気にくわない、もっとこうしたほうがいいと思う。そう感じた人たちがいたわけです。そこで、そうした

部分を改めて、自分でオリジナルのストーリーをつくるわけですね。

なるほど。だから大乗経典は「同人誌」に似ているんですね

ええ。ですから、大乗経典の道具立ては、「初期経典」と多く共通しています。経典というのは、はじまり方はだいたい同じで、「如是我聞、一時仏在……」と語りはじめられる。「如是我聞」というのは「かくのごとく、我聞けり」という意味で、アーナンダという人の言葉です。アーナンダさんは、ゴータマ・ブッダの説法を全部聞いて全部覚えている秀才でした。そこで、経典というのは全て、そのアーナンダさんが「私はこういうふうに聞きました」と言って、ゴータマ・ブッダの教えたことを思い出して語ったものである、ということになっているわけです。

ですから、経典というのは必ず、「如是我聞……」ではじまる体裁をとっているわけですね。それから「ある時（一時）仏は王舎城にいました」とか、「祇園精舎にいました」とか、「竹林精舎にいました」とか、そのように説法の場所を示して、しかる後に「周囲にはこんな人々がいました」と、説法の相手（対告《たいごう》衆《しゅ》）を明らかにする。仏教の経典は、そのように語りはじめられるのが常ですね。

なるほど

そこでオリジナルがそうである以上、「同人誌」である大乗経典も、その形式はきちんと踏襲するわけです。実際にはアーナンダが聞いたわけではないのですが、それでも「如是我聞、一時仏在……」と語りはじめて、「ゴータマ・ブッダがこういう話をしました」という話を創作していき、そうして経典制作者の理想の「仏説」を、「二次創作」の形で世に示すわけですね。

そんなことしちゃっていいんでしょうか？

していいかどうかはわかりません（笑）。だから、テーラワーダの人たちなどは、大乗経典を基本的に相手にしていないというか、ノータッチなわけです。つまり、それはそういう人たちが勝手にそういう話をしているだけでしょう？という話になる。私自身は、「本当の仏教」とか「正しい仏教」とか、その系統の話には関心が全くないので、大乗経典が「二次創作」であるからといって、それに価値がないとは思いませんけどね。

ただ、やはり大乗経典に先ほど解説したような「同人誌」の性質があることは事実ですから、中にはずいぶん違う話になっているものも多くあります。例えば、『法華経』という有名な大乗経典がありますね。この『法華経』というのは、比喩的にわかりやすく表現すれば、ブッダの「釣り宣言」[2]なんですよ。

「釣り宣言」ですか!?

はい。何の「釣り宣言」かと申しますと、ゴータマ・ブッダという人は、八十歳の時に沙羅《さら》双樹《そうじゅ》の下で亡くなったということになっている。しかし『法華経』の内容というのは、「ブッダは沙羅双樹の下で死んだと思った？　残念！　釣りでした！」という話なんです。

それは凄いですね（笑）

ええ。ゴータマ・ブッダが亡くなった際の話は、『大パリニッバーナ経』という経典に記されています。これは非常に感動的な場面なのですが、ブッダの入滅前の最後の言葉が、「諸々の現象というのは壊れていく性質のものである。だから、怠《おこた》らず修行を完成させなさい」という有名なものですね。ゴータマ・ブッダは最後にそう言って亡くなっていくという、なかなか格好いいシーンです。

しかし『法華経』は「あの時に自分が死んでみせたのは、君たちはパンピーだから、私が人間としてカピラヴァストゥというところに生まれて、三十五歳で悟って八十歳で死んだという、パンピーのようなふりをして教えを説かないと信じないでしょ？　だから、あれはあくまで方便だから。実は私は、いまでもここで生きていて法を説いているからね」「というか、君たちは私が菩提樹の下で三十五歳で悟ったと思っているよね？　それも方便だから。実は私、はるか昔からとっくに悟ってますから」と宣言する。それがこの経典の内容なんです。

2「自分の言動が『引っ掛け（釣り）』であったことを宣言する」という意味のネット用語。

超展開ですね

ただ、いちおう申し上げておきますと、私はだから『法華経』がダメだと言いたいわけではありません。「同人誌」だというのも悪口を言っているわけではなくて、そのように様々な新しいブッダや仏教の解釈を積極的に提示していくのが大乗経典というものの性質なんですね。

それはそれとして、「原作」とは別の価値を有しているということですね

はい。だから私は、「本当の仏教」とか「正しい仏教」などと言って、特定のセクトの語る「仏教」だけを高く価値づけようとする言説には興味がないわけです。

ところで、いま私たちが知っている大乗経典には色々と種類がありますよね。例えば、『般若経』や『華厳経』、『維摩経《ゆいま》』や『勝鬘経《しょうまん》』など。そのように現在も私たちに知られている大乗経典というのは、「同人誌」として非常に人気があ

ったということです。と言いますのも、昔は出版業なんてありませんでしたし、経典なんて自分の頭で暗記するか、本にするとしても手で筆写するしかないわけですから、それが広まるというのは現代よりもずいぶんたいへんなことです。

そうですよね

にもかかわらず、ネットもコミケもないのに二次創作の「同人誌」が長いこと、いまの私たちにまで伝わっているということは、それにたいへんな人気があったということです。だから例えば、さっきの『法華経』の説にしても、それを読んだり、耳で聞いたりした時に、「これいいね！　というか、俺もブッダってそういう存在だと思ってたんだ！」と思う人たちがたくさんいたわけです。それに共感する人たちが、大量に出たわけですね。アスカが幸せになる同人誌が出てくると、「俺もこうあるべきだと思っていたんだ！」という人たちが「布教」をはじめるのと一緒で、メジャーな大乗経典というのも、そのように共感して、筆写や読誦《どくじゅ》をする人たちが大量に存在したから、これまで残ってきたわけです。

たしかに、二次創作なのに人気もなかったら、すぐに淘汰されちゃいますからね

ええ。ですから、そのように広く人々に受容された大乗経典に思想的価値があるというのは、ある意味では当然のことです。ゴータマ・ブッダが入滅して数百年経ったところで、様々な人々が、「私はこれこそが仏教だと思う」「私はこれこそがブッダだと思う」という、ゴータマ・ブッダの仏教の「二次創作」を、大乗経典という形で提示していく。ただし、「二次創作」「同人誌」と言いましたけど、彼らは主観としては、「これこそが本当の、理想的なブッダ・ストーリーなんだ」というつもりで書いているわけですから、大乗経典の制作者たちの認識としては、その「同人誌」の一つ一つが、「これが本当のブッダなんだ」「こうあるべきなんだ仏教は」というマニフェストになっているわけです。そして、そのように様々に制作された大乗経典の中で、多くの人々が「これはたしかにそのとおりだ」と共感していったものが、人気を得て読誦され筆写され、私たちにも伝わっている。

千年単位の歳月を乗り越えてきたわけだから、「同人誌」にしてもすごいですよね

まさにそのとおりで、圧倒的に影響力のある同人誌というのは、そこからさらに同人誌の同人誌が作られたりしますから、めちゃくちゃ影響力のある同人誌ができたら、今度はそれが基盤になって、またそこから新しい「同人誌」、つまりは新しい仏教思想が生まれてきたりすることもある。それはそれで思想の一つの変化であり、発展であるわけです。「仏教」というのは、総称して言うならば、そのような「オリジナル」も「同人誌」も全て含んだ、思想の維持・変化・発展の運動の総体のことです。

オリジナル、二次創作、三次創作、スピンアウト、メディアミックス、全てを含んだ総体が、「仏教」という思想運動であると

少なくとも、私はそのように考えます。だから、そこに「正しい／正しくない」という価値基準を持ち込むことには、相当に慎重でなくてはならないと思いますね。もちろん、特定のセクトに属している宗教者の方が、自派の教説こそが「正しい仏教」であると主張するのは自然なことなのですが、その種の言説に、

とくに宗派的な立場をもたない私たちまでが釣られる必要はありません。

魚川さんには、特定の宗派的な立場はないんですね

私はそもそも、いわゆる「仏教徒」ですらありませんから（笑）。

なるほど（笑）

そんなわけで、「仏教」という宗教運動は、その内に圧倒的な多様性を含んでいます。注意しなくてはならないことですが、一般には、「小乗」仏教と大乗仏教という二種類の仏教があって、だから大乗仏教というのはそういう仏教が一種類あるのだと、しばしば誤解されがちです。しかし、実際にはそういうわけではない。さきほど申し上げたように、大乗仏教というのは「同人運動」ですから、色々な主張をする人たちがいるわけです。『法華経』同人誌を作る人がいて、それを気に入った人たちは『法華経』スクールを形成するし、『般若経』同人誌を作る人がいて、それを気に入った人たちは『般若経』スクールを形成する。とに

かく様々な人たちが、「これこそが仏教の真意義だ」「これが理想的なブッダ・ストーリーだ」ということを言っていった、その運動の総体が大乗ですから、大乗というのは一枚岩のものでは全くないわけです。

なるほど。「大乗」と一口に言っても、その中には多様な教えや多様な要素が含まれているわけですね

そういうことです。ただ、「大乗」という運動の中にひとつの傾向性、もちろん全てにそれが必ず当てはまるということではないですが、それでも大きな傾向性というのを見ることができるとしたら、それは「現実性の重視」ということではないかなと思います。

「現実性の重視」というのは何かと申しますと、第1回、第2回でも解説したとおり、ゴータマ・ブッダの仏教というのは労働と生殖を放棄して、この世界における取引の文脈、敢えてわかりやすく言えば、私たちの世俗的な「現実」を規定している文脈を全て捨てて、無為の涅槃という「出世間」に移行しましょう、という話をしているわけですね。これに対して、大乗仏教はゴータマ・ブッダの

元々の教えよりは、そのような意味での「現実性」を、より重視する傾向があると思います。では、それが可能になるのはどうしてなのか、わかりますか？

うーん……、大乗では「先延ばし」ができるようになるからですか？

それは大きいですね。ゴータマ・ブッダはとにかく解脱に至ることが肝要である、という価値判断を明確にしていた。パンピー（凡夫）というのは、欲望の対象を楽しみ、欲望の対象にふけり、欲望の対象を喜んでいる。でも、その流れに逆行して解脱・涅槃という無為に達する、それが大切なんだ。それが今生で頑張れば実現できるのである、と教えたわけですよね。他方、大乗の人たちは、「いや、でも自分の目標は解脱して阿羅漢になることではないのだ。自分が目指しているのはブッダになることなのだ」と言うわけです。だから、彼らは自身のことを「菩薩」と称するわけですね。

阿羅漢ではなくてブッダになることを目指すから「菩薩」だということですか？

そうです。先ほど「菩薩（ボーディ・サットヴァ）」という言葉は「悟りに向かう衆生」を意味するが、これは元々は前世も含めた「悟る」以前のゴータマさん（たち）のことを指していた、という話をしましたね。

はい

いわゆる「小乗」の仏教において阿羅漢になることが目標とされる場合は、一般の仏弟子たちは「ブッダの候補生」ではありませんから、「菩薩」ではないことになる。しかし、大乗の場合は、基本的に実践者は全て成仏を目標としている「ブッダの候補生」ですから、大乗仏教徒は全て「菩薩」、即ち「仏の完全な悟り（菩提）に向かう衆生」になるわけです。

なるほど。大乗仏教徒なら、そのへんの日本人でも全て「菩薩」になるわけですね

そういうことです。しかし、成仏を目指すとはどういうことかといえば、これは先ほど説明したとおり、目標の達成が四阿僧祇百千劫、もしくは、三阿僧祇百劫の先へと引き延ばされるということです。でも、四阿僧祇百千劫などと言われても、なかなかその実感はもてませんよね。

そうですね。想像するのも難しいですからね

要するに、無限の彼方と言われているのと実質的には変わらないわけです。何回生まれ変わろうが、何億回、何兆回、何京回と生まれ変わろうが、成仏の目標というのは、常に遥か先にある。ということは、大乗仏教徒の生は、現実的には毎回が「過程の生」であり、「成仏」という最終的な目標の達成は、どの生においても、常に無限遠の彼方にある。

しかし、たいへん興味深いことですが、このことが逆説的に、大乗仏教徒が「現実性」と関わりながら「この生」を生きることを肯定してくれるんですね。つまり、菩薩である彼の生は、常に「成仏」という目標を無限遠の彼方に据え置いた「過程の生」であり、その観点から意義付けられる。そして、菩薩の生の意味とは衆生に利他行を施しつつ、敢えて無為には達せずに、有為の世界で「現実性」と強く関わりながら生きることです。

即ち、ゴータマ・ブッダ自身の示した方向性・価値観にしたがって阿羅漢を目指すのであれば難しかった「現実性の重視」が、目標を成仏に変更し、その達成を無限遠に先送りすることで可能となった。菩薩が「現実性」と関わりながら利他行の生を送ることは、成仏という遥か彼方の理念から反照された「過程の生」として、毎回必ず肯定されることになるからです。

なるほど。「小乗」と「大乗」の違いの一端が理解できました

So Buddhism is interesting

ゴータマ・ブッダの教説の基本構造

So Buddhism is interesting

さて、仏教一般に関する基礎知識の解説は不十分ながらこれくらいにして、次はゴータマ・ブッダの教説の基本構造の解説をいたします。まずは、次の偈を見てください。

原因によって生じるものごとについて
如来はそれらの原因を述べた
そしてまた、それらのものごとの滅尽なるものも
偉大な沙門はこのように説くのである。

これは一般に「縁生偈《えんしょうげ》（もしくは法身偈）」と呼ばれているもので、ゴータマ・ブッダの説の基本についてお話しするときは、いつもこれを使うことにしています。ではまず、この「縁生偈」が説かれた機縁《きえん》についての話ですが、サーリプッタという人がゴータマ・ブッダの弟子にいたことはご存知ですか？

名前は聞いたことがあるような……

仏教関係の書籍にはよく登場する、有名な人ですね。サーリプッタというのは法将軍と呼ばれた人で、ゴータマ・ブッダに最も期待されていた弟子の一人です。手塚治虫の『ブッダ』にも脚色された形で出ているエピソードですが、彼は元々はゴータマ・ブッダの弟子ではなくて、外道（異教徒）のサンジャヤという

人の弟子だった。そのサーリプッタが仏門に入るにあたって、そのきっかけとなったのが、ある仏弟子からこの「縁生偈」という偈（詩）を聞いたことだったのだと言われているんですね。

このわずか数行に、それほどのインパクトがあったんですね

そうですね。では、サーリプッタはどのようにして「縁生偈」を聞いたのかと申しますと、ある時に彼が街を歩いていたら、アッサジという仏弟子がいて托鉢をしていた。それで見ていると、その立ち居振る舞いが非常に立派だったものですから、「この人は何かわかっているのではないか、悟っているのではないか」と思って、サーリプッタはアッサジをつかまえて、「あなたの姿はとても清らかだけど、あなたの先生は誰であるのか？」と聞いたんです。すると、「私の先生はゴータマ・ブッダという人である」と言われた。

そこでサーリプッタは、「では、あなたの先生はどんなことを説いているのか。ぜひ私に教えてほしい」と、さらに尋ねたわけです。それでアッサジは、「いやいや、私などまだ初心者ですから」と一度は断ったのですが、「いやいやそ

こを是非」と、サーリプッタが強く頼んでアッサジに唱えてもらったのがこの「縁生偈」です。つまり、これはゴータマ・ブッダの教説の内容を、知らない人に向けて要約したものなんですね。

この短い偈が、仏説の要約になっていると

ええ、そうなんです。そしてサーリプッタは、この偈を聞いた瞬間に、「預《よ》流《る》」という「悟り」の最初の段階に達したと言われています。

すごいですね

まあ実際のところはわかりませんが、とにかくそれくらい、ゴータマ・ブッダの教えというのを端的に要約した、素晴らしい偈だと言われているんですね。たしかに、私自身もこれは仏説の素晴らしい要約だと思います。では、この偈が何を語っているかというと、基本的には縁起の話をしています。仏教の基本が縁起説だというのはご存知ですよね。

聞いたことがあります

では、縁起というのは何のことを言っているのかはわかりますか？

「原因によって結果が生ずる」ということでしょうか

そのとおりです！　要するに、縁起というのは読んで字のごとく、「縁《よ》りて起こる」ということを述べている。即ち、「ものごとは原因があって生じる」ということが、「縁起」という概念の基本的な意味になります。例えば、縁起の定義として経典にしょっちゅう出てくる有名なフレーズに、次のようなものがあります。

これあればかれあり、これ生ずればかれ生ず、
これなければかれなし、これ滅すればかれ滅す。

これはもう本当に書いてあるとおりの意味で、あるもの、例えばAという条件があれば、それでBというものがある。Aが生ずればBが生ずる。逆に、Aという条件があればBがあるという関係だったら、AがなくなればBもなくなるし、Aが滅すればBも滅する。要するに、因果関係の話をしているわけですよ。まあ、そう言われても、"so what?（だから何？）"という感じがするかもしれませんけどね。

たしかに……

「えっ、それだけ？」って思いますよね。まあ普通の現代日本人だったら、私たちは二十世紀以降に生まれた科学の子ですから、ものごとには原因があって生ずるとか、全ては因果関係によって成り立っているとか、そういったことはいまさら言われなくてもわかっている、と感じる人が多いかもしれません。

そうでしょうね

あと、もう一つの解釈として、「これあればかれあり」というのが同時存在の因果、「これ生ずればかれ生ず」というのが、Aが生じてそれがあったら次にBが生ずるという継起関係の因果だというふうに考えることもありますが、どちらにしても、要するに因果関係を述べているということは変わりません。

もちろん、仏教思想史というのは非常に長大なものですから、「縁起」という基本概念については、例えば龍樹《りゅうじゅ》（ナーガールジュナ）の空《くう》と相依性《そうえしょう》としての解釈であるとか、あるいは如来蔵縁起とか、阿頼耶識《あらやしき》縁起とか、六大縁起とか、とにかく様々な後代の思想的展開があります。けれども、それはさておくとして、いちばん基本的な話をすれば、縁起というのは「縁りて起こる」、即ち、「ものごとは原因・条件によって生じる」という、それだけの意味です。あくまで基本的には、という話ですけどね。

基本的には、すごくシンプルな話なんですね

そうです。では、なぜそんなシンプルな話が重要視されているのか。仏教では、「縁起を見る者は法を見る」と言われています。「法」というのは、仏教における真理のこと。つまり、この縁起の法則を見る者は、仏教における真理を見る者だ、とすら言われます。逆に言えば、仏教の真理を知るということは、縁起を知ることに他ならないことになる。そこまで「縁起」が重要視されるのはなぜでしょうか？

渇愛をなくすプロセスを見ることができるからですか？

一つにはそのとおりです。仏教というのは、基本的には悟りを開くための宗教、つまり転迷開悟（迷いを転じて悟りを開く）の宗教だというふうに言われていますよね。では、「迷い」というのはどういう状態であるのかというと、わかりやすく表現するなら、それは「悪い癖がついてしまっている状態」です。「癖」という言葉を使うのは、それが「わかっちゃいるけどやめられない」ものだからですね。

「悪い癖」が、そうとわかっていてもやめられないのが「迷い」であると

ええ。もちろん、教理的に言えば心に煩悩のある状態が「迷い」であり、それがなくなった状態が「悟り」です。ただ、この煩悩というもの、あるいは、欲望の対象を楽しみ、欲望の対象にふけり、欲望の対象を喜ぶという衆生の傾向性そのものは、もう遺伝子レベルで私たちに染みついているもので、「これが自分を不幸にしているから今日からやめよう」と決心したからといって、直ちにやめられるものでは全くないですよね。

まあ難しいでしょうね

そうですよね。そこで、まあ卑近な例なのですが、わかりやすいのでいつもこの喩えをするんですけど、これは「おっぱい」のことを考えてみたらわかります。どういうことかと申しますと、「おっぱい」というのは、物質としては、あくまで「脂肪の塊に皮を張りつけてあるだけのもの」にすぎない。少なくとも、「これは所詮、脂肪の塊に皮が一枚張りつけてあるだけだな」というふうに、頭で考えることはできますよね。

それはできますね

ええ。でも、そのように頭で考えてみたからといって、あるいは、そういう話を聞かされて、「なるほど、では今日からそのように認識しよう」と決心して、例えば紙に、「おっぱいは脂肪の塊」と百回書いてみたとする。しかる後に、目の前に実際のおっぱいが出てきたとして、それが「脂肪の塊に皮が張りつけてあるもの」に見えるでしょうか？　つまり、「こんなものは、所詮ただの脂肪の塊だし」と言って、眼前のおっぱいに何も感じずにいられるかどうか。

それは無理ですね（笑）

無理でしょう（笑）。頭の中の理屈として、「おっぱいというものは所詮、脂肪の塊に皮が一枚張りつけてあるだけのものである」と、いくら自分に言い聞かせてみても、目の前に本物のおっぱいが出てきたら、やはりそれに欲望を感じて執著してしまうわけです。おっぱいを楽しみ、おっぱいにふけり、おっぱいを喜んでしまうという「癖」が、男性にはどうしても染みついてしまっているわけですめ《 》ね。それはだから、「これはくだらないことだからやめよう」と決心したからやめられるようなことではないわけです。

そうした「悪い癖」が煩悩であり、「迷い」であると

そういうことです。「脂肪の塊」、より正確に感覚に即して言えば、「単に目に入ってきている色の組み合わせ」にすぎないものを、私たちは「おっぱい」という構成物へと形成しあげて、それを欲望の対象として執著してしまう。私たちはそのように、ものごとをありのままに見る（如実知見する）ことができずに、感覚与件（センス・データ）から「おっぱい」のような欲望の対象となる観念を作り上げて、それに執著して右往左往してしまうという「癖」をもっているんですね。そうした凡夫（パンピー）の現状が、「迷い」と呼ばれているわけです。

なるほど。ただの「色」を「色」として、ありのままに見ることができずに、そこから「おっぱい」という観念をこしらえて、そこに執著までしてしまうと

ええ。そして、ここで話を戻しますが、縁起の法則が教えてくれるのは、そのように私たちが観念をこしらえて執著し、それで苦に陥っているという現状にも、きちんと原因があるんだということなんです。「縁生偈」の前半に、「原因によって生じるものごとについて、如来はそれらの原因を述べた」とありましたが、ブッダ（＝如来）は私たちの苦の現状を分析して、縁起という因果関係の法則をたどり、その原因を特定した。

なるほど。苦の原因を示してくれるから、縁起の法則は大切なんですね

そうです。ただ、それだけではありません。「縁生偈」の後半に「そしてまた、それらのものごとの滅尽なるものも」と言われていましたが、原因があるからには、縁起の法則をたどってそれらを消滅させていけば、先行する条件が消えるわけですから、後に来る結果も生じることがなくなるわけです。苦には原因があるということだけではなくて、その原因を消滅させることもまた可能であるということを、ゴータマ・ブッダは教えていた。縁起の法則は、そのいずれにも深く関わっていることなので、だから仏教では重視されているわけです。

よくわかりました

仏教の基本用語

So Buddhism is interesting

さて、仏教の他の基本的な用語についても、いくつかお話をしておきましょう。まず「有為」と「無為」という言葉はこれまでも何度か使ってきましたが、「有為」というのは何だったでしょうか？

条件付けられたもの全て、でしょうか

はい、そうですね。つまりは「現象」です。そして、この有為の現象のことを、形成され、条件付けられているという意味で、「諸行（サンカーラー）」とも言いますね。ところで、条件付けられているということは、他のものによって因

So Buddhism is interesting

果的に規定されているということですから、つまりは縁起の法則の支配下にあるということです。そのように、縁起によって成り立っている現象の世界のことを、仏教用語では「世間（ローカ）」と呼んでいる。これは、前回も簡単にお話ししましたね。

はい――

それで私たちは、いま「世間」の中にいるわけですよ。ものごとが全て原因や条件によって成り立っているという、縁起の法則の支配下にある世界ですね。そして、仏教というのは輪廻説をとりますから、その考え方で言えば、私たちは今生だけではなくて、これまでずっと、過去無量の時のあいだに習慣的な行為を繰り返し続けることによって（言い換えれば、カルマを積み続けることによって）、自身に煩悩、つまりは「悪い癖」を、染みつかせてしまっているわけです。

そうした習慣的な行為（業、カルマ）の積み重ねが条件となって、欲望の対象を楽しみ、欲望の対象にふけり、欲望の対象を喜ぶという私たちの傾向性はますます強化され、それが苦に繋がっている。ならば、そのような「悪い癖」が衆生に形成されてしまう、その根本原因はなんであるのか。

「渇愛」ですね！

そうです。ゴータマ・ブッダによれば、苦の根本原因は「渇愛（喉の渇いた人が水を求めるような対象への強い希求）」である。そして、その渇愛を滅尽させることができれば、私たちは「無為」、即ち、条件付けられておらず、世間を超出した境域に達することができますよと、彼は教えているわけです。この「世間を超出した境域」のことを、仏教用語では「出世間（ロークッタラ）」と呼びます。これも前回ちょっとふれましたね。

条件付けられた有為の現象の世界が「世間」で、条件付けられていない無為の涅槃の境域が「出世間」ですね

はい。ゴータマ・ブッダの教えというのを再び簡単に要約すると、私たちは条件付けられた世界（世間）の中で、右往左往している存在である。なぜ自分が生

きているのか、なぜ自分がそれをしたいと思っているのかもわからずに、とにかくしたいから何かをする。とにかくおっぱいが欲しいからおっぱいを求めるとか、とにかく腹が減っているから食事を求めるとか、とにかく人を押し退けたいと思うから押し退けるとか。まあとにかくそういう衝動に任せた生き方をしているわけです。

けれども、その衝動のいちばん根源にあるものは渇愛だから、その渇愛を滅尽させれば(つまり、衝動には原因があるからその原因を滅尽させれば)、その結果として、私たちは、出世間、「悟り」、涅槃という状態に達することができますよ。ゴータマ・ブッダは、そのように教えたわけですね。

とりあえず話の筋道としてはわかりやすいですね

ええ。そしてゴータマ・ブッダは、この渇愛の発見と滅尽ということが、「私(ブッダ)にはできたし、また私はその方法を君たちに教えてあげることもできるから、そのとおりにやれば、君たちも必ず私と同じことができます」と言い切った。そこで弟子たちがブッダの教えるとおりに実践してみたら、言われたとおりの結果が出た。あるいは、少なくとも彼ら自身はそのように確信できた。そういう人たちが、二千五百年のあいだきちんと存在し続けてきたからこそ、仏教はここまで存続することができたわけです。

仏教は「やってみなさい」という教えなのに、やってみて言われたとおりの結果が出ないのであれば、二千五百年も続かないでしょうからね

はい。もちろん、できるできないの個人差は人によってあったでしょうが、少なくとも、「できた」と自己確信できた人たちは、きちんと存在し続けてきただろうし、またそのことに関する検証は、現在でも世界中の瞑想センターで行われ続けているということですね。

なるほど、わかりました

さて、今回の講義では「仏教の基本」についてお話ししてきたわけですが、最後に仏教の最も根本的な教説である、「四諦《したい》説」についても解説しておきましょ

う。

「四諦」というのは「苦諦《くたい》・集諦《じったい》・滅諦《めったい》・道諦《どうたい》」のことですが、まとめて「苦集《くじゅう》滅道《めつどう》」と言います。これについてはゴータマ・ブッダが最初の説法（初転法輪《しょてんぽうりん》）で語っているので、それを引用しながら解説しましょう。まずは苦諦からですね。

> さて、比丘《びく》たちよ[3]、苦の聖諦《しょうたい》とはこれである。即ち、生は苦である。老は苦である。病は苦である。死は苦である。怨憎するものに会うのは苦である。愛するものと別離するのは苦である。求めて得られないのは苦である。要するに、五取蘊《ごしゅうん》は苦である。

四諦の「諦」というのは、「真理」を意味します。だから四諦というのは「四つの真理」ということですね。その最初が右に引いた苦諦です。ここに説かれているのは、いわゆる「四苦八苦」ですね。

「四苦八苦」といっても、苦が十二個あるわけじゃないんですねそうですね。「四方八方」といっても十二方向あるんじゃなくて八方向しかないのと同じことで、これも数え上げられているのは十二ではなくて八個の苦です。

まず、最初の四苦は「生老病死」の苦ですよね。「生は苦である。老は苦である。病は苦である。死は苦である」。まあたしかに、これらは基本的に苦かもしれないですね。ちなみに、「生」というのは生きることではなくて、生まれることです。お腹の狭いところに閉じ込められて、最後に狭い産道を通って、血だらけで生まれてくることが苦だということです。

これに加えて、怨憎するもの（嫌いな奴）に会うのは苦だ、愛するものと別れるのは苦だ、求めて得られないのは苦だ、と指摘し、そして最後に、「要するに、五取蘊は苦である」と言っている。五取蘊というのは、五蘊とも言いますが、私たち衆生を構成する「色・受・想・行・識」という五つの要素のことで、

3　男性の出家者のこと。女性だと「比丘尼《びくに》」になる。

執著の対象になるもののことです。凡夫（パンピー）を構成している五つの要素は、要するに苦だと言っているわけですね。ということは、少なくとも凡夫にとっては、生きることはそれ自体として苦だということです。

なるほど

次は集諦です。

さて、比丘たちよ。苦の集起の聖諦とはこれである。即ち、再生をもたらし、喜びと貪りを伴って、随所に歓喜する渇愛であって、つまりは欲愛、有愛、無有愛である。

集諦は苦の原因について語るものです。「苦の集起の聖諦」とありますが、「集起」というのは原語で言えば「サムダヤ」で、「より集まって起こること」という意味ですね。だから、「より集まって起こる原因」ということです。苦がより集まって起こる原因はなんであるのか、それは即ち、再生をもたらし、喜びと貪りを伴って、随所に歓喜する渇愛であって、つまりは欲愛、有愛、無有愛である。そういう話をしています。

ここの一つのポイントは、ゴータマ・ブッダが最初の説法から、再生をもたらすものが苦の原因であるところの渇愛であると、はっきり言っていることですね。だから、「ゴータマ・ブッダは輪廻転生を説いていない」とか、そんな話はあり得ないわけですが、まあその話は次回に詳しくいたします。とにかく、前の苦諦において、少なくとも凡夫にとっては、生きることそのものが苦である、と言ったわけです。その上で、では苦の原因は何なのか。「それは渇愛だ！」と、明確に指摘したわけですね。

わかりやすいですね

ええ。では続いて滅諦です。

さて、比丘たちよ、苦の滅尽の聖諦とはこれである。即ち、その渇愛を残りなく離れ滅尽し、捨て去り、放棄し、執著のないことである。

生きることはそれ自体として苦であり、その原因は何かと言えば渇愛である。その上で、苦を滅するということを私は説くんだと。では、苦が滅尽した状態というのは何かと言えば、その苦の原因を作っている渇愛を残りなく離れ滅尽し、捨て去り、放棄し、執著がないことである。つまり、渇愛というものを徹底的に、残りなく消滅させれば、それを原因として起こっていた苦も消えます、ということですね。

これはまあ、これまで話してきたことからすれば、当然かもしれませんね

そうですね。ここでのポイントは、日本人はあまり注目したがらないことですが、「苦を滅尽するためには渇愛を徹底的に滅尽させろ。少しも残すな」と、ゴータマ・ブッダが強調していることかもしれません。

そして、最後は道諦です。

さて、比丘たちよ、苦の滅尽に至る道の聖諦とはこれである。それは即ち、

聖なる八支の道であって、つまりは、正見・正思・正語・正業・正命・正精進・正念・正定である。

生きることそのものが苦ですよ。その苦には原因があって、それは渇愛ですよ。そして、その渇愛を徹底的に消滅させれば、苦はなくなりますよ。苦諦・集諦・滅諦では、そういうことが語られました。その上で、この道諦で語られるのは、では苦を滅尽させる方法は何かということです。それが有名な、いわゆる「八正道《はっしょうどう》」ですね。「正見・正思・正語・正業・正命・正精進・正念・正定」というのがそれです。この八正道を実践することで、苦を滅尽させることができるのだ、ということですね。

「四諦・八正道」というのが仏教の基本というのは聞いたことがあります

ええ。ここで「縁生偈」で言っていたことを思い出してください。原因によって生じるものごとがあって、ゴータマ・ブッダはその原因を説く、と言われていましたね。原因によって生ずるものごとというのは有為の現象であり、五取蘊でありそれは要するに苦である。では、その原因は何かと言えば渇愛だ。まあ、細かく言えば十二因縁とか、色々とあるのですが、端的に言えば苦の原因は渇愛である。

その上でゴータマ・ブッダは、そうした原因によって生じたものごとの滅尽は可能であるとし、そのための方法もきちんと示してくれているわけですね。それが偉大な沙門（＝ゴータマ・ブッダ）の教えであるという話を、「縁生偈」ではしているわけです。

なるほど。よくわかりました

「仏教の基本」ということでお話ししなければならないことは、もちろんまだまだたくさんあるのですが、もうずいぶん時間も超過しましたし、今回の連続講義に必要なだけの基礎知識は、だいたいお話しできたかと思いますので、あとはその場のトピックに応じてまたお話しするということで、今日はこのあたりで終わろうと思います。

第4回 無我と輪廻をめぐって

さて、連続講義の第4回ですね。よろしくお願いします。

よろしくお願いします

So Buddhism is interesting

無我と輪廻の「問題」

So Buddhism is interesting

今回は、無我と輪廻という、仏教といえば必ず取り上げられる大問題についてのお話をしようと思います。大問題と申しますのは、仏教と言いますと、無我と輪廻というのはどのような関係であるのか、といった話が色々と取り沙汰されて、学者や宗教者たちのあいだで大きな議論になることが多いからです。

たしかに、「無我なのに輪廻するとはどういうことだ」という疑問は出てきそうですええ。ただ、私個人の考えとしては、これが大問題になるということ自体が、少なくとも仏教の内在的論理から言えば、ずいぶんおかしなことだと思うんですね。もちろん「外道」、つまり仏教以外の異教徒の人たちはそこを「矛盾」として攻撃したりしますけれども、あくまで仏教側の論理に即して考えた場合には、無我にせよ、輪廻にせよ、その概念の内実というのをテクストに書いてあるとおりにきちんと把握しておけば、さほど混乱するような話はしていないと思うんです。

大騒ぎするほど難しい話はしていない、と

私はそう思います。ただ、日本には第2回の講義でもふれた、「はずだ論」者という方々がいらっしゃいます。「無我と輪廻は矛盾する。だから、ゴータマ・ブッダは輪廻を説かなかったはずだ」と主張する人たちですね。そうした妙な主張をする方々は、学者のあいだではさすがに数が減ってきましたが、彼らの「はずだ論」の影響は、一般にはまだまだ根強く残っている。たぶん、「はずだ論」者の方々がそうした主張をしてしまうのは、「仏教というのは科学的で合理的

で、近代の知的枠組みにきっちり収まることを言っているんだ」ということにしてしまいたい、という動機が根底にあるのだと思いますが。

「仏教に輪廻などという非科学的な教えはない」と言いたいわけですね」

そうですね。しかしながら、彼らの期待に反して、仏教の文献には輪廻がずっと明確に説かれ続けているし、それが実践の理論的根底にも存在し続けている。なぜなら、仏教の基本的な立場というのは、「無我なのに輪廻する」ではなくて、「無我だからこそ輪廻する」というものだからです。そして、それは実は論理的にも文献的にも実践的にも、非常にはっきりしたことなんですね。ですから、これははっきり申し上げますが、「無我と輪廻は矛盾する。だから、ゴータマ・ブッダは輪廻を説かなかったはずだ」などと主張してしまう人たちは、端的に仏教がわかっていないんです。

そのことを、今回は詳しく解説していただけると」

そうです。ただ、これは限られた時間で行う入門講義ですから、丁寧に引証や論証を進める議論は、この場ではできません。したがって、ここでのお話は、あくまでざっとしたガイダンスになることを、ご承知いただければと思います（より詳しくは『仏教思想のゼロポイント』に述べてあります）。

わかりました

「無我」の不思議

So Buddhism is interesting

さて、まずは「無我」とは何か、ということからお話ししなければならないと思うのですが、この言葉はどういう意味だと思いますか？

「ずっと死ぬまで変わらない私というものはない」ということでしょうか？

基本的にはそういうことですね。「無我」と申しますと、字面だけからは、端的に「私」というものが全く存在しない、という意味にもとられがちですが、そうすると、ちょっと不整合なところも出てくる。

どういうことでしょう？

徹頭徹尾、あらゆる意味で「私」というものは「ない」んだ、ということが無我という概念の意味だとすると、「ない」の定義にもよるんですが、色々とおかしなところが出てくるんです。例えば『ダンマパダ』（法句経）では、これは有名な言葉ですが、「己こそ己の主人である」と言われています[1]。また、『大パリニッバーナ経』では、「自らを島とし、自らをよりどころとして、他をよりどころとせず、法を島とし、法をよりどころとして、他をよりどころとせずにあれ」とも言われています。これは漢訳ではちょっと誤訳されていて、「自灯明・法灯明」という形になっていますね。ブッダの遺言の一つとして有名な言葉なので、ご存知の方も多いでしょう。

ところが、もし本当に「私」というものがあらゆる意味で「ない」のだとしたら、その「ない」はずの「己」が「己」の主人であるとか、あるいは、「ない」はずの「自ら」をよりどころにしなさいとか、そのあたりの話の意味が通らなくなってしまう。「私」が本当にあらゆる意味で、徹頭徹尾「ない」のであれば、「自らをよりどころに、法をよりどころに（自灯明・法灯明）」という、その言葉にも意味はなくなってしまうわけです。

たしかに、「私」が「ない」のに、その「私」を頼れってどういうこと？　と思ってしまいますね

そうですよね。また、常識的なレベルで考えても、私が「ない」という話には、色々とおかしなところがある。例えば、人間というのは一人一人で知覚している世界が異なります。私が見ている世界と他の人が見ている世界は、かりに同じ部屋にいたとしても、身体の占めている位置が異なる以上、必ず違うに決まっ

1　『ダンマパダ』第一六〇偈

ているわけです。それと同じように、耳・鼻・舌・身で私が感覚している世界も、それは基本的には私の肉体に基づいた私の知覚の世界であって、それは他人が知覚するものとイコールでは必ずしもない。

そして、そのような感覚器官による知覚だけではなくて、私たちのいわゆる「内面」に浮かんでくる「思い」にしても、それはまさに「私の中」で生起するものであって、そのような「私の思い」が「他者の思い」と混ざり合ってしまうことは、基本的にはないですよね。

そうですね。肉体の感覚も心の思いも、基本的には「私」に生起するものであって、それが他人のものと混ざり合ってしまうことはないですね

ええ。そして、その事情自体は、仏教で悟った人であっても基本的には変わりません。と言いますのも、例えば、すごく修行して悟ったお坊さんがいたとしますよね。それで、そのお坊さんが「無我なのじゃ！」と説くとします。でも、そのように「無我なのじゃ！」と言っているお坊さんと、それを聞いている私たちとでは、事実として身体が異なっているわけです。

ですから、そうである以上、先ほど申し上げたとおり、彼と私では見ている世界が違うはずだし、その中で展開している思いも異なっていることになる。厳然とした事実として、身体が異なっているわけですから。

「無我」を悟ったからといって、その人の心や身体が、実際に他者と区別できなくなってしまうわけではないと

そうです。いくら悟ったからといっても、そのお坊さんの身体が溶けて崩れてしまうわけではないし、そのお坊さんの思いが、他者の思いと混合してしまうわけでもないですからね。ということは、そのお坊さんの「個体性」、即ち、そのお坊さんが他者とは別の認知を有しながらそこにいるという現実自体は、悟ろうが悟るまいが関係なく、変わらず存在し続けるということです。

なるほど。お坊さんが「無我じゃ！」と言っても、「いや、でもあなたはそこにいるし、私とは別人ですよね？」という事実は残ると

はい。仏教に対するよくある誤解なんですが、仏教というのは「無我」を説くものであって、ゆえに悟った人は「無我」を悟るのである。したがって、悟った人には当然「私」というものが全くなくなって、世界と一つになってしまうのだ。そんなふうに考えている人たちもいます。でも、実際にはそうはならないわけですよ。ゴータマ・ブッダも仏弟子の阿羅漢たちも、死ぬまではきちんと身体があって、「個体性」を保持していたわけですから。

一人に一つの身体があって、それが他人と区別されているという事情は変わらないと

ええ。そうである以上、ブッダの視界が他の人の視界と混ざってしまうわけではないし、ブッダの身体が溶けて崩れるわけでもないし、ブッダの思いが、別の人の思いと混合するということもないわけです。だからこそ、ゴータマ・ブッダも他者に語る説法においては、「私（aham）」という言葉を普通に使っているんですね。例えば、「意思が業であると私は言う」[2]といった形で。ですから、そうした意味で、「個体性」のレベルでの「私」という概念は、悟ってようが悟っていまいが、プラクティカルには、ひとまず認められて使われていたわけです。

なるほど

「変わらない本当の私」はこの世界にはない

So Buddhism is interesting

さて、「無我」というのは、パーリ語だったら「アナッタン」。サンスクリット語なら「アナートマン」です。「我」というのが、「アッタン」もしくは「アートマン」ですから、その前にanという否定辞をつけているわけです。しかし、あらゆる意味で「私」、もしくは「我」が否定されているのだとしたら、先ほど申し上げたように、色々と話のおかしいところが出てまいります。ならば、そこで

2 "Cetanāhaṃ bhikkhave, kammaṃ vadāmi"

言われている「私」、「我」、「アートマン」というのは何であるのか。そして、それを否定するというのはどういうことであるのか。これ、どういうことだと思いますか？

「変わらない私」が否定されているということでしょうか？

そのとおりです！　伝統的な用語で言い換えれば、ゴータマ・ブッダがそこで否定しているのは、「常一主宰」の実体我なんですね。「常」というのは常住ということであり、「一」というのは単一のこと。そして「主宰」というのは、主としてコントロールする権能を有する、つまりコントロールする能力があるということです。

ですから、常に存在し続けている単一のものであって、実体として他から規定されることがないゆえに自分に関しては全てコントロールできる、そのような存在のことを常一主宰の実体我、即ち「アートマン」というわけですね。

ずっと変わることがなく、自身をコントロールできる実体が否定されていると

はい。ゴータマ・ブッダがなぜそれを否定したかというと、その当時の宗教者・修行者たちが、例えば苦行やヨーガ、瞑想などをすることによって、そのような「常一主宰」の実体我というのを、この現象の世界のどこかに見出すことができるんだ、そうしたいんだ、というふうに考えていたからです。

一生懸命に苦行して身体をいじめたりとか、あるいは一生懸命に瞑想したりすれば、「いま僕は発見できていないが、どこかに常一主宰の変わらない本当の私、実体的な私、アートマンというものがあるはずだ。だからそれを探そう。探すために色々なことをしよう」というふうに頑張っていたわけです。そこで、ゴータマ・ブッダは、そういうアートマンというのは少なくとも現象の世界の中にはないよ、という話をしたわけです。

無常・苦・無我の三相

現象の世界、即ち「世間（ローカ）」の中に、いくら常一主宰のアートマンを探しても無駄である、ということですね

そうです。では、なぜ無駄なのか。現象の中にアートマンを見出すことのできない理由は、現象というのが、常に無常・苦・無我という三つの性質をもつものだからです。

三つの性質ですか

ええ。アニッチャ（無常）・ドゥッカ（苦）・アナッタン（無我）という三つの性質ですね。これを三相（ティ・ラッカナ）と言います。まず、ゴータマ・ブッ

So Buddhism is interesting

ダは、現象というのは全て無常であるという話をする。なぜ無常であるかはわかりますか？

縁起説の関係でしょうか

そうです。全ての現象には原因や条件があり、そうした原因や条件があるからこそ、それらはいま・ここに現れている。「縁りて起こる」ということが、「縁起」の意味でしたからね。ですから、その原因や条件が消えてなくなれば、当該の現象も消えてしまうことになる。したがって、現象は常に条件付けられた存在でしかあり得ない以上、それが永遠に存在し続けるということはない。だからこそ無常（常住ではない）である。

あらゆる原因から自由であって、無条件的に、単一に存在し続けているものというのは、少なくとも現象の世界の中には存在しない。ゆえに、およそ現象というのは全て条件付けられている、即ち、縁生（縁によって生じたもの）であるがゆえに無常であって、常に移り変わり続けている。これがゴータマ・ブッダの基本的な認識ですね。

なるほど。現象は縁生である以上、そこに常住で単一なものは存在しない、ということですね

そういうことです。そして、その上でゴータマ・ブッダは、「無常なるものは苦である」と言う。

その無常な現象は苦でもあると

はい。苦というのは、第2回の講義でも申し上げたとおり、「不満足に終わりがない」ことです。例えば欲望の対象であれ、あるいはそもそも欲望する私の気持ちでさえも、常に条件付けられて出てきているものであって、それらは移り変わり続けている（無常である）から、そうである以上、何かある対象を得ることで欲望が満足して、「よかった、嬉しい」というふうに思えたとしても、その気持ちがずっと続くことはあり得ない。欲望の対象も、それを得て「よかった」という満足の気持ちも、必ず消えていくものですし、消えていったら、また次のも

のが欲しくなります。そして、これも第2回に解説したとおり、この不満足のサイクルには終わりがありませんね。だから、無常であるものは苦である。

条件付けられた現象は、物も心も常に移り変わっていく。だから不満足には終わりがないので苦だと

そうです。そしてゴータマ・ブッダは、「苦なるものは無我である」と続けて言います。というのも、不満足というのは言い換えれば、思いどおりにならないということですよね。他方、我というのは先ほど申し上げたとおり「常一主宰」のもの。つまり、常住であり、単一であり、主としてコントロールする権能を有するものです。

でも、必ず無常であって、それゆえ終わりのない満足であり続けるしかないものというのは、言い換えればコントロールできないものですよね。だから「無我」。例えば、ゴータマ・ブッダがしばしば出す例なのですが、「もし、色《しき》（身体）が我であるならば、その身体が病にかかるはずはない」と言うわけです。

主宰者としてコントロールする能力があるのなら、わざわざ身体を病気にするはずがないですからね

そういうことです。あるいは、もし色が我だったら、「私の色はこのようであれ、このようであってはならない」と命令することもできるはずだ、と彼は言います。例えば、「俺の顔はブサメンで気にくわないから、イケメンになれ！」と命じた場合、もし身体（色）が先ほど述べた意味での我であって、自分のコントロール下にあるならば、直ちにそうなるはずですよね。

そういうことになりますね（笑）

もしコントロールできるのならばですよ。でも、実際にはコントロールできませんよね。もっと言えば、私たちは「生老病死」と言われるように、自分でコントロールしたわけでもないのに勝手に生まれてきて、嫌なのにいつの間にか老いてしまい、病んでしまい、そうして死ぬわけですよ。ミャンマーではお坊さんがしばしば、「老いなければならない、病まなければならない、死ななければなら

ない（オーヤーメー、ナーヤーメー、デーヤーメー）」と口にするんですが、それはまさに避けられないことであって、私たちがコントロールできることではありませんね。

老いも死も、遅らせる努力はできても、全くなくすことはできないですからね

ええ。本当ならば、もちろんずっと若いままでいたいし、できれば美女やイケメンでいたいし、病気になったり怪我をしたりといった、嫌なことはないほうがいい。でもコントロールできないから、私たちは勝手に嫌な思いを経験したり、勝手に老いていったり、勝手に病んだりして、そして最終的には、勝手に死んでしまうわけです。そのように、「私」を含めた現象は思いどおりにならないものである以上、それはコントロール不能であるから、常一主宰の実体我ではありませんよね。だから「無我」ですよねと、ゴータマ・ブッダは言うわけです。

なるほど、よくわかりました

無記――絶対に答えない問い

So Buddhism is interesting

ところで、いまは色《しき》を例にとって話をしましたけど、上記の事情は、五蘊の他の全てについても同じです。

五蘊というのは、「色・受・想・行・識」という、衆生を構成する五つの要素でしたね

そうです。色というのは、物質や身体のことですね。そして、身体は先ほど申し上げたとおり、無常であり、苦であり、無我である。感覚（受）もまた、無常であり、苦であり、無我である。そして表象作用（想）もまた、無常であり、苦であり、無我である。意志や欲求（行）も無常・苦・無我であり、認識や判断（識）も無常であり、苦であり、無我である。

ゆえに、私たちの存在を構成する要素、あるいは現象を構成する要素の全て（眼耳鼻舌身意《げんにびぜっしんい》、色声香味触法《しきしょうこうみそくほう》）について、その諸要素のどれを取ろうが、それらは全て条件によって成立しているものである（縁生である）以上、確実に無常であるわけです。

そして無常である以上、そのような現象を構成する諸要素の全ては、終わりのない不満足としての苦であり、そして苦である以上、それはコントロール不能であるのだから、常一主宰の実体我ではあり得ない。したがって、この現象の世界の中にあるものは、そのどの要素を取り出してみたところで我ではないですよね。即ち、現象の世界（世間、ローカ）の中のどこを探しても、その中にアートマンだと言えるようなものは何もありませんよね。ゴータマ・ブッダは、そういう話をしています。

私たち自身も含めた現象の世界の中にあるものは、そのどの部分を取り出しても無常であり苦であるのだから、そうした諸要素のどこかに常一主宰の実体我を発見するということは絶対にあり得ない。「無我」ということでゴータマ・ブッダが語っているのは、そうしたことだということですねおっしゃるとおりです。さて、ならばそのように、現象の世界の諸要素のどれをとっても、それらは無常・苦・無我であるとするならば、現象の世界を超えたところには、「我」は存在しているのでしょうか。

テーラワーダだと、「出世間」である涅槃も含めて「無我」だということになっていますね

テーラワーダの人たちはそう言いますね。ただ、経典に即して見れば、そこは微妙なところだと私は思います。むしろ、ゴータマ・ブッダはその点に関しては「無記」だったというのが、実際のところだったんじゃないかと思いますね。

「無記」ですか

ええ。無記というのは、回答を与えないこと、説明されないことです。一般には、ゴータマ・ブッダが形而上学的な質問をされた時に、基本的には沈黙して答

えなかったこと、あるいは、その回答されなかった問いのことを指しますね。

なぜ答えなかったんでしょう？

そうした問いは、無益で涅槃へと導かないからだと、ゴータマ・ブッダは言っています。だから、そういう問いを受けた時には、ゴータマ・ブッダはいつも答えずに、代わりに（「悟り」へと繋がる）縁起や四諦の話をするんですね。「そういう形而上学的な話をしたって、それを一生懸命に考えても解脱に至ることはできません。だから私はそういう話はしない。あなたはまず縁起の理法を理解して、それで涅槃に到達しなさい」という感じです。ですから、例えば「世界というのは有限であるか、無限であるか」とか、「霊魂と身体は同一であるか、異なるのか」とか、そういう質問に関しては、ゴータマ・ブッダは訊かれても絶対に答えないわけですね。

なるほど

ところで、この種の質問には定型的なものがいくつかありまして、数え方の差によって、「十無記」や「十四無記」などと言われます。その中の一つに、「如来は死後に存在するか」という問いがあるんですね。

「釈迦如来」とか「阿弥陀如来」とか言いますけど、つまり「如来」というのは悟った人のことなんでしょうか

基本的にはそうですね。要するにブッダのことです。[3] その如来、即ち、涅槃に到達して輪廻転生から解脱した人が、死後に存在するのかどうかという問いに、ゴータマ・ブッダは答えないわけです。でも、これは「無我」か「有我」かというのが確定しているのであれば、本当はしっかり答えが決まるはずの問いですよね。

と言いますと？

つまり、もし現象の世界を超えたところには実体我が存在しているということ

であれば、如来は死後に存在するんですかと訊かれたら、「はい、存在します」でファイナルアンサーになりますよね。逆に、もし徹頭徹尾「無我」なのであれば、現象の世界を乗り超えたところにも実体我は存在しないことになる。それゆえ悟って死んだ人は完全に無になるというのが実状なのであれば、「いいえ、存在しません」でファイナルアンサーになるはずですよね。

たしかに、そうなりますね

ですから、「無我」か「有我」かということが明確に決まっているのであれば、つまり、出世間の境域に「我」が「ある」か「ない」かが確定されているのであれば、この問いへの答えははっきりしているはずですよね。

徹頭徹尾「無我」だと決まっているのであれば、そうはっきりと言ったほうが、

3 「如来」の異なった解釈については、『仏教思想のゼロポイント』に言及している。

むしろ修行者の迷いは減りそうな気がしますしね

ええ。ところがゴータマ・ブッダは、それでも敢えてこの問いには答えないわけです。そしてもう一つ、この問いに関する彼の態度がよく表現されている経典があります。『アーナンダスッタ』、もしくは『アッタッタ』と呼ばれる経典で、相応部《そうおうぶ》の「無記相応」に収録されているものです。

ムキソウオウ、ですか

はい。パーリ経典というのは「五ニカーヤ」と言いまして、長部《ちょうぶ》、中部《ちゅうぶ》、相応部《そうおうぶ》、増支部《ぞうしぶ》、小部《しょうぶ》という五つに分類されています。そのうちの一つが相応部経典、サンユッタ・ニカーヤですね。相応部というのは、様々な経典をテーマごとに分けて収録してあるものです。そのテーマ分類の一つとして「無記相応（アヴヤーカタ・サンユッタ）」というのがある。そこには、ゴータマ・ブッダの経説の中で、無記に関連するものが集められているわけですね。

なるほど

それで、その経典の内容はと申しますと、ある時に、ヴァッチャ姓の遊行者がやって来て、ゴータマ・ブッダに「我（アッタ）はあるのですか？」と質問した。ところが、ゴータマ・ブッダは答えずに沈黙している。そこで、「では我はないんですか？」とさらに質問したところ、それにもゴータマ・ブッダは答えない。つまり、どっちを訊いても回答が得られないから、ヴァッチャ姓の遊行者は、仕方なく去って行ったわけです。

それは去りますよね（笑）

まあ、去りますね（笑）。で、それを見ていたアーナンダが、ゴータマ・ブッダに「なぜ質問されたのに答えなかったんですか？」と訊いたわけですね。するとゴータマ・ブッダは、「もし、我があると言ったとしたら、常住論者になってしまう。もし、ないと言ったとしたら、断滅論者になってしまう。だから私は答えなかったのだ」と言ったんです。

「常住論者」と「断滅論者」ですか

はい。この「常住論」のことを一般に「常見」とも言い、「断滅論」のことは「断見」とも言います。これらは仏教において、ともに邪見（誤った見解）であるとされているんですね。

常住論者というのはどういう人たちかと申しますと、世界と自己が、ずっと存在し続けると考える人たちのことですね。その考え方（見解）のことを、「常見」と申します。実体我というものが存在して、人が死んでもそれはずっと残り続けるんだと考えるのが常見ですね。断滅論者というのはその逆でして、世界と自己の断滅、つまり、なくなってしまう、無になるということを主張する人たちです。ですから、自分が死んだら、もう自己というものは一切なくなってしまって、無になるのだと考えるのが断見ということですね。現代日本には、こちらの断見を信じている人が多いかもしれません。

そうでしょうか？　死後に何かあると考えている人たちも多いように思います

なるほど、ひょっとしたらそうなのかもしれませんね。ただ、例えばゴータマ・ブッダは輪廻を説かなかったと主張する人たちは、この断見で世界を見ていることがしばしばある。つまり、死んだら無になるはずだと信じているわけですね。そこで、「死んだら無になるとゴータマ・ブッダも説いたはずだ」みたいなことを言うわけです。

もちろん、ご本人が自分の信念としてそうお考えになるのは自由なんですが、仏教的な観点からすれば、これは明らかな誤りです。経典のテクストにおいてははっきりと、常見は邪見であるし、断見も邪見であると、明言されているわけですからね。

「死んだら無になる」と考えるのは、少なくとも仏教的には明白に誤りだということですね

そうです。ゴータマ・ブッダの態度、ひいては仏教一般の態度というのは、そこは「ある」とも「ない」とも言い切らないということなんですね。先ほど説明

いたしましたように、ゴータマ・ブッダは、「現象の世界の諸要素については、そのどれを取ってみても、常一主宰の実体我だと言えるものは一つとしてありませんよね」というところまでは、はっきりと主張します。
しかし、ならばその現象の世界を乗り越えたところに「我」は存在するのか否か、と問われたら、それにはゴータマ・ブッダは答えない。「ある」とも「ない」とも、絶対に言い切らないわけですね。

「我」の究極的な意味での存在・非存在については、ゴータマ・ブッダは「無記」であったということですね

そういうことです。例えば、中部経典の『一切漏経』という経典などでは、「私に我はある」という見解も、「私に我はない」という見解も、ともに邪見であると明言されています。

「私に我はある」と言い切っても、「私に我はない」と言い切っても、ともに「邪見」になってしまうと

ええ。こうした「無記」の態度、その性質についてよく知ることは、ゴータマ・ブッダの仏教を理解する上で非常に大切になります。この点については、次回の講義でさらに詳しく扱いますね。

楽しみにしています！

So Buddhism is interesting

経験我と実体我

So Buddhism is interesting

さて、いまお話ししたのは、常一主宰の実体我のお話です。他方、実体我ではなくて、経験的なレベルの「私」、あるいは「自己」というものであれば、ゴータマ・ブッダもプラクティカルには――少なくとも作業的なレベルにおいて――認めていたわけです。先ほどお話ししたように、そうでなかったら、「己こそ己の主人である」とか「自らをよりどころに」といった教説の、意味が通らなくなりますからね。
誰でも経験的に知っているように、私たちには固有の認知の場、つまり、それぞれの身体の感覚器官が知覚している世界があって、そのような個体それぞれの認知に基づいて、私たちは様々なことを考えたりする。そうした経験的な自己（経験我）、言い換えれば、常に変化をし続ける、「眼耳鼻舌身意／色声香味触法」という認知を構成する要素のまとまり、それが一人につき一セットずつ、存在しているわけです。その事実に関しては、ゴータマ・ブッダは必ずしも否定はしていない。

各個人が、眼耳鼻舌身意という感官によって、色声香味触法という対象を認識しているという、その事実はとくに否定していないということですね

はい。ですから、例えば「己こそ己の主人である」とか「自らをよりどころに」と言っている時の「自己（アッタン）」というのは何かと申しますと、それはもちろん、常一主宰の実体我ではあり得ない。私たちの認知できる世間の中の現象は全て無常であり苦であり、ゆえに「無我」であるから。

しかしながら、そのような実体我、即ち、変わらない「私自身」というものは存在しないけれども、無常であり苦であるものとして、常に流動変化を続けているところの、眼耳鼻舌身意／色声香味触法の認知のまとまりというものは、人それぞれに存在します。

繰り返しますが、そうした眼耳鼻舌身意／色声香味触法という認知の要素のどこを探しても、そこに固定的な実体というものは存在しない。「核」になっている実体はないわけです。どの要素をとっても、それは必ず変化し続けているし、どこかにずっと変わらない核心的なもの、これだけはずっと変わらずに保持され続けているものというのは、少なくともこの現象の世界の中には、どこを探してもありません。ただ、その変化し続け、流動し続けている認知のまとまり自体は、現象（諸行）として存在している。それを経験的には、あるいはプラクティカルな作業上の用語としては、とりあえず「自己」と呼称しておくこともできる。「己こそ己の主人である」とか、「自らをよりどころに」などと言っている時の「自己」というのは、あくまでそういう「経験我」のことを指して述べている表現であるわけです。

なるほど。「私」と呼ばれているところの認知のまとまりをよりどころにせよ、「他者」と呼ばれているところの認知のまとまりをよりどころにしてはいけない。そういう話をしているということですね

はい。ゴータマ・ブッダの言う「無我」というのは、常に変化し続ける現象の中に、「常一主宰」の実体我を見出すことは決してできない、ということです。しかしながら、それは眼耳鼻舌身意／色声香味触法という各要素によって構成される認知のまとまりが、流動変化を続けつつも「各個人」に一セットずつ存在しているということを、とくに否定しているわけではない。そのあたりのレイヤーをきちんと分けて考えないと、この「無我」の問題に関しては、すぐに混乱に陥ってしまいます。

なるほど。よくわかりました

業とは何か

So Buddhism is interesting

さて、「無我」については以上のように理解できましたので、次は輪廻について お話ししましょう。まず、輪廻について考えるためには、「業《ごう》」という概念を理解しておく必要があります。

「業」、カルマですね

ええ。サンスクリット語で「カルマン」、パーリ語だと「カンマ」ですね。これの基本的な意味は「行為」もしくは「作用」です。インド思想の文脈ですと、「行為（業）」というのは日本語で考えるようなものとはちょっと性質が違っていて、やり終えたらそれで完結する、というわけではないんです。行為には基本的に、ある種の潜在的な余力、ポテンシャルとも言うべきものが伴っていて、それが後に必ず結果をもたらすことになる。

例えば、目の前に虫がいたとしますね。それで、その虫を叩いて殺したとする。私たちの普通の考え方であれば、そのように殺したら行為はそこで完結して、「はい終わり」という話なのですが、インド思想の文脈ではそうではなくて、虫を叩いて殺したら、その行為は殺したぶんの何かしらの潜在的な力（潜勢力）を後に残すことになり、それはどこかで必ず結果をもたらすことになる、というふうに考えられているわけです。ですから、業というのは行為であると同時に作用でもあるのですが、それをまとめて、「後に結果をもたらすはたらき」というふうに捉えておいてもいいと思います。

なるほど。「やったら終わり」になるのではなくて、残されたポテンシャルが、後に必ず結果をもたらすのが「業」なんですね

はい。そして、仏教だけではなくインド思想一般の基本的な前提として、衆生（生き物）というのは「無始」、つまり始まりがわからないくらいの大昔から、この「後に結果を残すはたらき（業）」というのを、ずっと繰り返してきているわ

けです。そうしてずっと行為（業）を続けてきましたから、結果をもたらす潜勢力のほうも蓄積されてきています。そのような潜勢力、ポテンシャルにがんじがらめに縛られて、私たち衆生というのは、いま・ここに存在しているわけですね。これまでに積み重ねてきた行為とその作用が蓄積されて、その蓄積されてきた結果として、いま・ここに私たちは現存在しているわけです。それが、インド思想の基本的な世界観になります。

So Buddhism is interesting

輪廻の仕組み

いわゆる「業と輪廻の世界観」というのは、そうしたものですね

So Buddhism is interesting

はい。インド思想には、基本的にこれを採用しているものが多いですね。では、ゴータマ・ブッダの仏教の場合に、そういう存在の衆生というものが生まれ変わり、死に変わるというのはどういう仕組みに基づいているのか。これについ

では、木村泰賢という明治時代の仏教学者が、わかりやすい図式を示してくれているので、それを参考にしましょう。[4]

$A - A' - A'' - A''' - A^n \ldots a^nB - B' - B'' - B''' - B^n \ldots b^nC - C' - C'' - C''' - C^n \ldots c^nD \ldots\ldots d^nE \ldots$

このAというのは何かと申しますと、先ほど説明したような「流動する認知のまとまり」、あるいは「個体性」ですね。

例えば、「太郎」という人間がいるとしましょう。「太郎」というのは、人からそのように呼ばれるところの、変わらない「一人の人間」、つまり「単一の存在」だというふうに思われているかもしれません。しかし、実際にはその「太郎」というのも、流動・変化する現象の様々な要素の集合体であって、ゆえに赤ちゃんの時と三十五歳の時と七十歳の時では、「太郎」の見た目も中身も、まるで異なってきますよね。

そうですね

「太郎」が主観的に認知している世界も、外側から見た「太郎」も、常に変化を続けています。仏教用語で言えば、「刹那《せつな》（瞬間）」ごとに流動・転変を続けているというのが、「太郎」と呼ばれている要素の集合体の実情ですね。そのような無常の転変を続けている、ある「認知のまとまり」、現象の諸要素の集合体のことを、かりにまとめてAと呼ぶとする。「太郎」や「キャサリン」や「タマ」など、私たちが「個人・個体」だと捉えているもののことを、ここでAと呼称しているわけです。

ただ、そのAというのも先ほど申し上げたとおりの現象の諸要素の集合体であって、ゆえに常に変化を続けており、そこに固定的な実体は存在しない（「無我」）。つまり、敢えてわかりやすく図式化すれば、一瞬ごとにA'―A''―A'''というように、どんどん変化しているわけです。

4　木村泰賢『木村泰賢全集 第三巻』（大法輪閣、一九六八年）、一六九頁。

Aの右上のダッシュは、「A」と呼ばれている現象の諸要素の集合体が、実際には刹那ごとに流動し、変化を続けていることを表しているわけですね

おっしゃるとおりです。そのような変化がずっと続いていって、最終的にはA^n、即ち、Aが死ぬ瞬間に達する。そこで起こるのが転生です。例えばAさんが八十歳で亡くなったとしますと、その亡くなる瞬間がA^nですね。そこで「…」で表現されている転生が起こり、AさんはBさんになる。そうなったら、このBさんというのは、Aさんとは異なる身体をもつことになりますので、姿形も全く変わる。種も違っているかもしれませんね。人間だったのが、猫になっているかもしれない。

生まれ変わるんだから、そこで別の「個体性」をもつようになりますからね

ええ。ただ、このBにa^nというのがついていますね。これが表しているのは、Bが前世にそれであったところのAと呼ばれる「個体」が積み重ねてきた行為（業）のポテンシャルが残っていて、その潜在的なエネルギーをきちんと引き継

いでいるということですね。「後に結果をもたらすはたらき」は、前世から引き継がれてそのまま作用を続けると

そういうことです。そうして、以下はその繰り返しですね。そのa^nのポテンシャルを引き継いだBさんが、今度はB'—B''—B'''というふうにどんどん変化をし続けていって、それがB^nに達するとまた亡くなるわけです。すると今度はBさんがCさんに生まれ変わる。そのCはBとはまた姿形が変わりますが、そこには以前の生までに積み重ねてきた業が、b^nとして、きちんと引き継がれているわけです。そうして再び、Cは生き続けながら刹那ごとに変化していき、C^nで亡くなって、Dに生まれ変わり、以下同様のプロセスをたどって、またEに生まれ変わる。輪廻転生というのは、基本的にはそれだけの仕組みです。

「固定的実体（我）」のない現象が、それゆえにこそ変化を続けていく。「生まれ変わり」というのも、あくまでそのプロセスの中で起こることにすぎない、という

ことでしょうか

まさにそのとおりですね。前述の木村泰賢は、この輪廻のプロセスを「蚕《かいこ》の変化」に喩えて、次のように述べています。

> 仏教のいわゆる輪廻はあたかも蚕の変化のごときものであろう。幼蟲《ようちゅう》より蛹《さなぎ》になり、蛹より蛾《が》になるところ、外見的に言えば、全く違ったもののようであるけれども、所詮、同一蟲の変化であって、しかも幼蟲と蛾とを以って、同ともいえず、異ともいえず、ただ変化であるといい得るのみと同般である。[5]

カイコガ（蚕蛾）というのは、最初は幼虫で桑の葉などを食べて生きている。それがしばらくすると、蛹として繭《まゆ》を作ります。そして（そこで生糸にされなければ）、最後はその繭から出てきて、蛾として成虫になるわけです。それは、見た目の上では明らかな変化ですね。最初は幼虫だったものが、今度は白い繭になり、最後には蛾になってしまう。最初から順を追って見ていったら、同じものとは思えないような変わりようです。しかし、それはあくまで「同一虫」の変化だと一般には考えられる。

ただ、そのように「同じもの」が変化しているといっても、実際には幼虫の時期にさえ、最初は小さかったものが、どんどん大きくなったり、あるいは脱皮をしたりして、変化を続けているわけですね。そして、ある特定の時期に達すると、今度はがらりと姿が変わって繭になる。繭になったら、次はその中でどろどろに溶けて変態して、最後は蛾になって繭から出てくる。それは見た目からしたら全く異なるものだから、「これは別のものだ」と言うことも可能かもしれないけれども、「いやいや、所詮は同じ虫だよ」とも言うことができますね。

だから、それは「同ともいえず、異ともいえず」、ただ変化であるとしか言うことができない。輪廻のプロセスというのも、それと同様のことであると、木村泰賢は言っているわけです。


微小な変化は常に続き、時には大きく姿を変える。それを一つのプロセスとして

5 前掲書、一七二頁。

「同じ」と見ることもできるけれども、また「異なる」とも考えることができる。ただ、事実として起こっていることは、あくまで現象の絶えざる変化の相続であるとしか言えない、ということでしょうか

まさにそういうことです！　輪廻というのは、基本的にはそのことなんですよ。私たちの「眼耳鼻舌身意」と「色声香味触法」、つまり六つの感覚器官と六つの対象によって形成されている、「個体」それぞれの認知の世界。その認知の世界というのは、業によって規定されつつ、常に生成消滅を続けています。即ち、変化を続けている。だから無常であり、苦であり、無我であるわけですね。そのように変化し続けている無常・苦・無我の現象が、業の作用によって、ずっと継起を続けているという、そのプロセスが輪廻です。ですから、起こっているのはただ業による現象の継起だけなのであって、そこに固定的な実体我が介在する必要というのはないわけです。

次々と現象が生成消滅を続けているというだけのことなのだから、そこに「固定的な実体我」、変わらない核のようなものは必要ないと

はい。逆に固定的な実体我というものが、もしかりに存在しているのだとしたら、それが常に流動し変化を続けている、無常・苦・無我の現象に巻き込まれて、そこで苦を経験していることの説明がつきにくくなってしまいます。常一主宰の実体我であるはずなのに、それがなぜ無常・苦・無我の現象の世界に巻き込まれているのか。どういうふうに巻き込まれているのか、ということがわからなくなるでしょう。

そうですね

むしろ、そのような固定的な実体は存在していなくて、ただ条件によって形成された現象が、ひたすら継起を続けているのが現実である。だからこそ、輪廻というプロセスが生起し続けてしまうのだ。これが仏教の考え方ですね。今回の講義の冒頭で、仏教の基本的な立場は「無我なのに輪廻する」ではなくて「無我だからこそ輪廻する」である、ということを申しましたが、これはそういうことです。

常一主宰の実体我が存在していないからこそ、輪廻というプロセスが生起し続けているのであって、それが存在していると考えると、むしろ仏教の輪廻の捉え方からすれば不自然になる、ということですね

はい。仏教の世界観によれば、ありのまま（如実）に起こっていることは、ただ現象が業によってひたすら継起を続けているということです。先行する条件があったからこれが起こり、これが起こったから次はあれが生起する。そのように、縁によって生じた現象の継起が、ずっと続いているわけですね。そこに、何か固定的な実体が介在していると考える必要はない。そんなものが現象の世界の中のどこかに存在している、というふうに考えてしまったら、それが無常・苦・無我のプロセスに巻き込まれてしまっている理由がわからないことになるわけです。むしろ、そんなものがないからこそ、ひたすら条件によって現象が継起するというプロセスが、ずっと続くことになるわけですね。

固定的な核とか常一主宰の実体我とか、そんなものがないからこそ、現象が単に

条件によって次々と生起するというプロセスが、滞りなく進んでいくと

そうです。そして、そのプロセスは「個体」と呼ばれる現象の諸要素の集合体に、「死」が訪れても止まることはない。なぜなら、積み重ねられてきた業の潜勢力が、そこで雲散霧消するということはあり得ませんから。溜めこまれてきた業の潜在的なエネルギーは、また次の「個体」において、結果を発現させずには済まない。ゆえに、「死んだらそれで終わり」（断滅論）というのは、仏教の内在的な論理からすれば、むしろ不自然な考え方になるわけです。

なるほど

So Buddhism is interesting

輪廻に「主体」はない

So Buddhism is interesting

そこで、中部のある経典では、次のように言われています。

衆生とは業を自らのものとし、業の相続者であり、業を母胎とし、業を親族として、業を依りどころとするものである。

「何が輪廻するのか」という問いは、仏教に関してしばしば立てられることがあります。「無我なのであれば、魂がないのであれば、いったい何が輪廻するのか？」といった問いですね。しかしながら実際には、「何が輪廻するのか」という、その問い自体が、仏教の論理からすれば、既にカテゴリーエラーである。即ち、筋違いの問いになってしまっているわけですね。と申しますのは、「何が」輪廻するのか、というふうに質問してしまっている時点で、その問いは輪廻の「主体」を、既に前提にしてしまっている。つまり、個体存在の固定的な核、あるいは実体的な魂のようなものがあって、その魂が次々と器としての身体を乗り換えながら存在を保っていくというイメージで、輪廻を捉えてしまっているわけです。

「生まれ変わり」というと、普通はそういうイメージになりますからねええ。でも、少なくともゴータマ・ブッダの仏教における「輪廻（サンサーラ）」というのはそういうものではない。先ほども申しましたように、起こっているのは業を条件とした現象の継起だけなのであって、そこで何か固定的な実体（我）が核となって持続しているということはありません。「後に結果をもたらすはたらき」である業が、実際に結果として現象を引き起こし、それがまたさらなる業の条件となって、次に新しい結果を生む。その繰り返しがひたすら継起し続けているという、そのプロセスのことを「輪廻」と言っているんですね。

ですから、そこに「何が」と問われるような、「主体」となるものはないわけです。だから「無我」。これ自体は、細かい点を突き詰めていけばもちろん色々と問題は出てくるんですが、大枠の筋道としては、さほど難しい話ではないと私は思います。

なるほど。業の潜勢力を条件として生起した現象の、あるまとまりが、かりに「衆生」と呼ばれていて、それが継起して現象し続けることが「輪廻」であると。だから、「衆生とは業を自らのものとし、業の相続者であり、業を母胎とし、業を

親族として、業を依りどころとするものである」とも言われるわけですね

So Buddhism is interesting

文献的にも輪廻は説かれた

So Buddhism is interesting

そうです。仏教の内在的論理からすれば輪廻というのはそういうものであって、そこに「矛盾」は存在しない。そして、文献的に見ても、テクストの中で、ゴータマ・ブッダは非常にはっきりと輪廻を前提とした教説を語っています。例えば、

数多の生にわたって、私は輪廻を経《へ》巡《めぐ》ってきた
家の作り手を探しながら、しかしそれを見出すことはなしに
生を何度も繰り返すのは苦しいことである
家の作り手よ、おまえは見られた。もはやおまえが家を作ることはない

おまえの垂木は全て折れ、棟木は破壊されてしまった
心は条件付けられた現象を離れ、渇愛の壊滅に至っている

これは『ダンマパダ』の第一五三、一五四偈からの引用ですが、これなどは輪廻転生を前提としないと、どうにも解釈のしようがありませんね。これはあくまで一例にすぎませんが、こうした『ダンマパダ』や『スッタニパータ』といった「古い」（ゆえに、ゴータマ・ブッダ自身の教説をよく残している）とされる経典のテクストの中に、輪廻を前提とした語りはたくさん出てきます。

テクストを素直に解釈するなら、ゴータマ・ブッダは輪廻を説いていたと考えるしかない、ということでしょうか

私はそう思いますけどね。もう一つ例を挙げておきますと、相応部の短い経典の中にしばしば見られる、解脱を達成した人の決まり文句というのがあります。

わが解脱は不動であって、これが最後の生であり、もはや再生することはな

い。

"akuppā me vimutti, ayamantimā jāti, natthi dāni punabbhavo" 全くの直訳なんですが、「これが最後の生」だとはっきり言っているわけです。そして、「もはや再生することはない」とも述べている。これを輪廻転生以外の文脈で解釈するのは、非常に無理があると言わざるを得ない。

そのまんまですもんね（笑）

そのまんまです（笑）。これは先ほど申し上げたとおりの定型句でして、経典の中に頻出する表現なんですね。こういうものまで「本来のゴータマ・ブッダの説ではないはずだ」ということで仏教理解から外してしまうのは、たいへん無理のある解釈だと私は思います。

なるほど

「はずだ論」の欠陥

また、現実に即して筋道立てて考えてみても、「はずだ論」にはおかしなところがあります。と言いますのも、ゴータマ・ブッダの仏教というのは、苦から解脱するための教えでしたね。では、そのためには何が必要とされるか。

渇愛を滅尽することでしたね

はい。労働と生殖を放棄して渇愛を滅尽し、そうすることで苦から解脱せよというのがゴータマ・ブッダの教えでした。でも、それは生き物としての普通の傾向性、「世の流れ」に逆らうことだから、やはりつらいことですよね。

労働と生殖を行って、欲望の対象を楽しみながら生きていくのが一般の人生ですから、それをやめろと言われたら、たしかに普通の人にとってはつらいですね」

そうですね。欲望の対象を享受することで「ああ楽しい」と思って生きていくのが、普通の人にとっての当たり前の「幸福」です。しかし、その当たり前のことをやめて、何かを欲しいと思う、その根源的な衝動（渇愛）自体を消し去りなさい。そうしないと、苦から解脱することはできませんよ。そう、ゴータマ・ブッダは言っているわけです。しかし、よく考えてみてください。もし輪廻転生が存在しなくて、死ねば全てが終わりになるのだとしたら、そんな修行をする必要はないことになりませんか？

たしかにそうですね。今生だけで人生が終わりなら、快楽の量が多ければそれでいい。「楽しんだもん勝ち」になりますよね」

ええ。それに前回の講義で紹介したゴータマ・ブッダの四諦説によれば、少なくとも凡夫にとっては、生きることはそれ自体として「苦」であった。ならば、生きることそのものが苦であり、かつ、輪廻がなくて死んだら全て終わりだという前提であれば、生の苦から抜け出すためのベスト・ソリューションは何になりますか？　自殺ですよね。

「生きることは苦」で、かつ「死んだら全て終わり」という前提ならば、そうなりますね

生きることそのものが苦。ところで輪廻はありません。死んだら全て終わり。じゃあ、いつ死ぬの？　いまでしょ！　ということになります。

そうですね

でも、もちろんゴータマ・ブッダはそんなことを説いてはいないわけです。彼は自殺を全く勧めてはいない。というのも、業と輪廻の世界観という、彼の教説の前提からすれば、現在の生が嫌だからといって自殺したところで、輪廻転生は続いていくわけです。

ですから、自殺などをすれば一般にはさらに悪業を積むことになり、次がもっ

と悪くなるだけのことになる。輪廻のプロセスが続く限り、そのような終わりのない不満足はずっと継続していくわけだから、いま・この生で労働と生殖を放棄して、苦の根源的な原因である渇愛を滅尽し、この無益な終わりのない不満足の繰り返しをやめましょう。そういう話を、ゴータマ・ブッダはしているわけです。

出家して労働と生殖を放棄し、わざわざつらい修行生活に入るのは、そのような「終わりのない不満足」のプロセスから「解脱」するためですね

ええ。ですから輪廻転生を前提としなかったら、ゴータマ・ブッダの教理の基本線に、筋が通らないことになってしまうわけです。例えば、現代日本人がよく口にすることとして、「人生は死ぬまでの暇つぶしだ」という言葉がありますね。もし輪廻転生がないのだとしたら、別にそういう生き方で全く構わないわけです。人生というのは、たかだか百年程度で終わるものですから、インド的な時間感覚からすれば、それはあっという間の出来事です。

そして、その期間が終われば生のプロセスは終わりで、その後には何もないということであれば、この生における快楽と苦痛のバランスシートをとって、生きているあいだに快楽のほうが少しでも多いままで死ねれば、そこで総決算になるんだからプラスになりますよね。だから、その生き方でいいじゃないか、という話になるわけですよ。

ゴータマ・ブッダの言う「四苦八苦」は生きているうちに経験することだし、死ねば全てが終わりになるという前提であれば、百年程度の人生のあいだを、なんとかその苦を快楽で覆い隠して生きていくことができるのであれば、それで別に構わない、ということになりますからね

そうですね。もちろん、輪廻を信じない現代日本人がそのような生き方を選ぶのは、あくまで本人の自由です。ただ、仏教の立場ではそうはいかない。この人生、この一生が終わったからといって、生のプロセス自体が終わってしまうわけではありませんから。「終わりのない不満足」という、凡夫の生に伴う根源的な性質（苦）は、これからもずっと続いていくし、実のところはこれまでも、私たちは同じことをずっと

繰り返し続けてきた。そのように生を何度も繰り返し、「永遠のRPGのレベル上げ」のようなことをひたすら続けるのは苦しいでしょう。だから今生で出家して、労働と生殖を放棄して渇愛を滅尽し、その終わりのない不満足のプロセスから、これを限りに抜け出しましょう。ゴータマ・ブッダは、そのように教えている。ゆえに業と輪廻の世界観という前提をゴータマ・ブッダの仏教から取り去ってしまったら、彼の教説の基本的な筋道が通らなくなるわけです。

たしかに、そうですね

ですから、現実的に、筋道立ててゴータマ・ブッダの仏教の教理を考えていけば、そこに業と輪廻の世界観が不可欠であることがわかるわけです。「苦」という仏教の最重要の教理にしても、それは輪廻転生の長いタイムスパンを前提として考えないと、「いや、俺は色々あっても人生を楽しんでるよ。だから苦じゃない。以上！」で話が終わってしまう、ものすごく弱い議論になってしまいますから。

四諦など、誰もが認める仏教の基本教理から普通に筋道立てて考えを進めていけば、それらは業と輪廻の世界観を背景にした教説であると理解するのが、いちばん自然であるということですね

So Buddhism is interesting

実践的な「輪廻」の理解

So Buddhism is interesting

そういうことです。また、これまで説明してきたような形で輪廻を理解することは、実践的にも非常に大切なことです。例えばウ・ジョーティカ師の『自由への旅』には、輪廻について以下のように述べられています。

輪廻とは、精神的と物質的のプロセスのことです。それが輪廻と呼ばれるのです。ある人が、一つの生から別の生へと移るという、物語のことではありません……。本当の輪廻とは、本当の廻り続けることというのは、この精神的と物質的のプロセスが、ずっと続いていくことを言うのです。それが輪廻

と呼ばれるのです。[6]

精神的と物質的のプロセスというのは、パーリ語でいうところの「ナーマ」と「ルーパ」。漢訳で言えば「名色《みょうしき》」ですね。ナーマ（名）というのが精神的な現象のプロセス、そしてルーパ（色）というのが物質的な現象のプロセスです。「プロセス」というのはつまり、前の条件に縁《よ》って次のことが起こり、そして、それがさらに続く現象の原因となって、また新しいことを引き起こす。そのような因果関係による現象の継起のことを「プロセス」というふうに呼んでいるわけですね。テーラワーダの教理では、このナーマとルーパ、精神的と物質的の現象が継起しているという、そのプロセスが「衆生」であると考えるわけです。

なるほど。精神的と物質的のプロセスが継起しているだけだから「無我」であると

まさにそのとおりです。「輪廻」と言いますと、先ほどもふれましたが、何か「魂」のようなものがあって、そのような実体的な「私」が、例えば犬になったり、猫になったり、人間になったり、あるいは天人になったりという感じで、

次々と生まれ変わり死に変わりしていく。つまり、「器」を変えながら「魂」がどんどん場所を移っていくというのが、日本人の多くがイメージしている輪廻ですね。

ウ・ジョーティカ師がここで言っているのは、輪廻（サンサーラ）というのはそのような「物語」のことではない、ということです。そうではなくて、サンサーラというのは、精神的と物質的の現象がひたすら先行する条件、あるいは業によってずっと継起を続けていくということ。ナーマとルーパが縁起の法則の下に生成しては消滅し、生成しては消滅するというそのプロセスが、ずっと続いていくということ。そのことをサンサーラ、輪廻と言うのだという話をしているわけです。

輪廻とは、ナーマとルーパのプロセスが続いていることであると

6 『自由への旅』（前掲ＰＤＦ版）、二三九頁。

ええ。それの意味することは何かと申しますと、輪廻という概念は、多く「輪廻転生」と言われることからもわかるように、「生まれ変わり」という現象のこと（だけ）を指しているのだと、一般には考えられがちですよね。しかし、それは必ずしも正しくない。実際には、いま・この瞬間の、私たちもサンサーラのプロセスの中にあるわけです。

なるほど。いま・この時にも私たちは輪廻していると

はい。サンサーラというのは、いま・この瞬間の私たちが変化を続けながら生成消滅を繰り返しているという、そのプロセス全体のことを指してそのように言うわけです。ですから、輪廻というのは、いつか自分が死ぬ時だけに起きる神秘現象ではなくて、この瞬間の己自身に生じ続けている現実であるわけです。あくまで、仏教的に言えばですが。

そして、これはさきほど引いた『自由への旅』に瞑想実践の解説とともに詳述されていることですが、いわゆる「悟り」、「解脱」というのは、そのようなナーマ・ルーパが生成消滅しているサンサーラのプロセスそのものを、ありのままに

知り見る（如実知見する）ことによって生じるんですね。つまり、「悟り」を目指して実践する瞑想者たちにとっては、このサンサーラのプロセスというのは絵空事ではなくて、まさにいま・ここで生じている「現実」として観察されるし、またそうすることができてはじめて、修行者たちは「解脱」に近づくことができるわけです。

なるほど。そのような観察によって、修行者たちは「現実」のこととしてありありと「無我」を知り、そうして「悟り」に向かうわけですね

そうです。そして「輪廻」と呼ばれている事態の内実も、修行者はそのような観察（ウィパッサナー）の過程で、自然に理解していくことになる。ウ・ジョーティカ師の言葉は、テーラワーダの教理に即しているのは当然のこととして、そうした実践者たちの実感とも、よく符合するものです。

これまで説明してきたような輪廻の捉え方は、実践者たちの経験にも裏打ちされたものだということですね

そういうことです。

テクスト解釈と個人の信仰

So Buddhism is interesting

さて、最後にいちおうの注釈を付け加えておきます。と言いますのは、これまで私は、「そもそもゴータマ・ブッダは輪廻を説かなかったはずだ」という「はずだ論」に関して、それは少なくともテクストを素直に解釈する限りでは誤りだ、という話をしてきたわけですが、そのことは仏教に興味をもっている現代日本人が、もし実際に仏教と関わるのであれば輪廻を信じなければならない、ということを意味するわけではありません。現実問題として、輪廻を意識しなくても、とりあえず仏教の実践を行ったり、その教えを人生の参考にしたりすることは十分にできます。

というのも、仏教というのはそもそも輪廻を超克する教えですね。つまり、輪廻という現象があったとしても、最終的には、それは乗り越えられるべきものであるわけです。ですから、いま自分が輪廻転生をとても実感できない、信じられないというのであれば、そこを無理して信じる必要はとくにありません。

最終的には仏教でも輪廻は乗り越えられるべきものなので、どうにも信じられないということであれば、とりあえずは輪廻のことを考えなくても実践上の問題はないと

ええ。それに、先ほど述べたような実際の経験をもたないままに、輪廻についてただ「考えた」とするならば、それは場合によっては誤解の元になります。先ほどふれた『一切漏経』には、「私は過去世に存在したのか」「私は未来世に存在するのか」といった、仏教の観点からすればカテゴリーエラーの疑問について語られているのですが、「輪廻」というと、たしかに一般にはそういうことを考えてしまいますからね。

なるほど。実際に瞑想などの実践をして、ナーマとルーパが継起する現象のプロ

セスを自ら観察すれば、そうしたカテゴリーエラーの疑問にもとらわれにくいわけですね

そういうことです。ですから、とりあえず輪廻については「スルー」して、まずは瞑想などの実践をしてみるというのは、悪いことではないと思います。また、仏教に対する別のスタンスとして、「たしかにゴータマ・ブッダは輪廻転生を説いたけれども、自分はそれを全く信じない。ただ、仏教には他にも有益な教えがたくさんあるので、それは必要に応じて受け入れる」、そうした態度も、十分にあり得ると思いますよ。私自身も、とくに個人として輪廻を「信仰」しているわけではないですからね。

自分自身が輪廻についてどう考えるかということと、ゴータマ・ブッダの教説自体をどう理解するかということは、区別しておくことが可能だということですね

ええ。まあ、こんなことは本来いちいち「主張」するほどのことではない、当たり前のことなんですけどね。ただ仏教に関しては、やはり宗教であるせいか、

「自分自身がこう考える」ということを、なぜか「ゴータマ・ブッダもそう考えたはずだ」という形で、教祖の意見と同一化させてしまう人が散見されます。私としては、「ゴータマ・ブッダは、このように考えていた。ただし、私自身はそれに同意しない」ということで、全く構わないんじゃないかと思うんですけどね。

なるほど

そんなわけで、仏教に関わろうとする人の全てが、輪廻転生を必ず信じなければならないということは決してありません。ただし、ゴータマ・ブッダの仏教を、それ自体として理解しようとするならば、彼は業と輪廻の世界観を前提として語っていたと考えておくほうが、少なくともテクストの素直な解釈としては正しい。今回の講義の結論としては、そういうことですね。

第5回 「世界」を終わらせるということ

連続講義も第5回目、後半に入りますね。よろしくお願いします。

よろしくお願いします

So Buddhism is interesting

「悟り」について

So Buddhism is interesting

さて、これまでは縁起や四諦、あるいは無我や輪廻といった、仏教の基礎的な教理に関する話をしてきました。そこで今回からは、いよいよ本講義のメインテーマであるところの解脱や涅槃、即ち、仏教の究極的な目的であるところの「悟り」に関する議論へと、進んでいきたいと思います。ひょっとしたら、このあたりが皆さんのいちばん関心のあるところかもしれませんね。

やはり「悟り」こそが、仏教の本質であり究極であるという意識がありますからねええ。ただ「悟り」というのは豊かな意味の広がりを含む、敢えて悪く言えば曖昧な言葉ですから、扱いには注意が必要です。例えば、第3回の講義でお話ししたように、同じく「悟り」という言葉で表現され得ても、ブッダの「悟り」と阿羅漢の「悟り」では、教理的には内容の差異がある。あるいは、多様に存在する仏教の各セクトのあいだでも、それぞれが究極だと考えている状態には、実際には微妙な差異を見出すことが可能です。

したがって、一口に「悟り」と言っても、そこには様々に異なった内容が含まれることがあり得ますから、この言葉を使う時には、それがどのような意味における「悟り」なのかということを、明確にしておかなくてはなりません。

なるほど

ですから、そのような曖昧な言葉はできれば使わないほうがいいのですが、とはいえご指摘をいただいたように、「悟り」というのは仏教の本質的なイメージとして定着してしまっているものですから、一般にはこの言葉を使って語ったほうがわかりやすいこともあるかもしれない。そこで、本講義ではカッコを付しつつ、「経典のゴータマ・ブッダが説く解脱・涅槃」を指す用語として、適宜「悟り」という言葉も使っていくことにします。

わかりました！

仏教の問題領域

So Buddhism is interesting

さて、今日のテーマは「『世界』を終わらせるということ」でして、ひどい中二病のようなタイトルがついています。

（笑）

これはどういうことかと申しますと、今日はゴータマ・ブッダの仏教の問題領域についてお話をしたいんですね。例えば、これも第3回の講義で、仏教における「迷い」と煩悩についてお話ししました。そこでは、「迷い」というのは「悪い癖」、即ち、自らを苦に導いてしまうような、衆生の習慣的な認知のパターンである、という話をしたと思います。

「おっぱい」というのは、実際には目に入ってきている色の組み合わせにすぎないのに、私たちはそうしたセンス・データを観念の中で「おっぱい」という構成物へと形成しあげて、それに執著して右往左往することで「苦」の状態に陥ってしまう。例えばそのような「悪い癖」が、私たち衆生にはついている。そういうお話でしたね

そうです。そして、そのような「癖」、つまりは習慣的な認知のパターンは、仏教的に言えば無量の過去生のあいだに積み上げられた業の潜勢力によってそうなっているのであり、現代風に言えば遺伝子レベルで私たちに染みついているものですから、「これはくだらないことだからやめよう」と頭でただ考えてみたところで、直ちにやめられる性質のものでは全くない。そういう話もいたしました。

はい

では、ここからわかることは何かと申しますと、ゴータマ・ブッダの仏教というのが、基本的には衆生の認知の領域を問題としているということです。衆生というのは、私たち人間も含めた感覚のある生き物たちのことですね。仏教というのは「転迷開悟（迷いを転じて悟りを開く）」の宗教だと言われますが、その「迷い」というのは、衆生の認知の領域において生じていることである。だから、それを「転ずる」ということは、衆生の習慣的な認知のパターンを転換するということであり、そうすることによって「悟り」を開くこともできるということになるわけです。

なるほど

そして、経典のゴータマ・ブッダが「世界（ローカ、世間）」だと言っているのは、そのような欲望を伴った凡夫（悟っていない衆生）の認知の領域のことなんですね。ですから、「悟り」を開くということは、言い換えれば、そうした意味での「世界」を終わらせることに他ならない、ということになる。今日は、そんな話をしてみたいと思います。

So Buddhism is interesting

「無記」の理由

So Buddhism is interesting

それでは、前回お話しした、無記の話から入っていきたいと思います。「無記」というのは、ゴータマ・ブッダが訊かれても答えなかったり、説明しなかった問いのことでしたね。

世界が空間的・時間的に有限であるのか無限であるのかとか、霊魂と身体は同一であるのか異なるのかといった、形而上学的な問いのことでしたね

そうです。西洋哲学で言えば、カントが『純粋理性批判』のアンチノミーで扱

っていたような問いとも似ていますね。そのような形而上学的な質問をしてくる人がいたら、ゴータマ・ブッダはそれに対して全く沈黙して回答を与えなかったということです。それを無記と言うのですが、これに関してちょっと面白い経典があるんですね。相応部経典の「無記相応」に収められているものです。

その内容はと申しますと、ある時、ヴァッチャ姓の遊行者、即ち、ヴァッチャという姓の、仏教徒ではない遊行者（wanderer）が、ゴータマ・ブッダに質問をした。このヴァッチャ姓の遊行者は、第4回に紹介した経典でも「我（アッタ）の有無」についてブッダに訊いていましたが、今回の質問も例によって形而上学的なものだった。つまり、「世界は常住か無常か、有限か無限か」というような質問をしたわけです。

そして、ブッダは例によって答えなかった？

ええ、彼はそういう問いに対しては「無記」ですからね。しかし、ヴァッチャさんとしては答えてもらえないのは不満ですから、「なぜ答えてくれないんですか？」と、彼はさらに質問しました。

まあそれは訊きますよね（笑）

質問をスルーされるのは誰だって嫌ですからね。それで、面白いのはゴータマ・ブッダのそれに対する回答なんです。どのように答えたのかと申しますと、

外道の遊行者たちは、色を我であるとみなしたり、我に色が属すと思ったり、色に我があると思ったり、あるいは我に色があると思ったりする。五蘊のその他の要素である、受・想・行・識についても同様である。だから彼らは「世界は常住だ」とか「世界は無常だ」等々と答えるのである。だが、如来（悟った人、ブッダ）はそのように五蘊を我であると考えたりはしないから、そうした問いには答えないのだ。

という趣旨のことを言ったんですね。

「五蘊」というのは、色（物質・身体）・受（感覚・感受）・想（表象作用）・行（意志・

欲求）・識（認識・判断）の五つでしたね

はい。要するに、「衆生」という現象を構成する要素、あるいはその認知の内容を、五つに分類して示したものですね。そのうちの一つが色（ルーパ）です。いろ・形あるもの。端的に言えば、物質や身体のことですね。

それで、右の回答でゴータマ・ブッダが語っているのは、世界が常住なのか無常なのか、有限なのか無限なのか、といった質問をされて、「世界は有限ですよ」とか、「いやいや無限ですよ」とか、そのような回答を与えてしまう人たちの性質についてです。つまり、そのような形而上学的な質問に答えてしまう人たちは、例えば色のような人間の認知の一部について、「色は我である」とか「我に色がある」などと考えているからこそ、そのように答えてしまうのだと、ゴータマ・ブッダは言っているわけです。

なるほど。対して、ブッダ（如来）はそういうふうに考えたりはしないから、その種の質問には答えないのだ、というわけですねそういうことです。ただ、これだけだと、ちょっと私たちにとっては説明不足というか、この経典の説だけからは、言っていることの筋道がわかりにくいところがありますよね。

と言いますと？

先ほど述べましたように、右の回答でゴータマ・ブッダが語っているのは、外道（異教徒）の遊行者が形而上学的な質問に答えてしまうのは、五蘊のような衆生の認知を構成する要素に対して、それらを「我である」と考えてしまうからだということです。つまり、色・受・想・行・識や、あるいは後述するように眼耳鼻舌身意／色声香味触法の六根六境《ろっこんろっきょう》でも同じことですが、そうした認知の構成要素に対して、それを「我（私）」として実体視することが、世界が常住だとか無常だとかいった、形而上学的な認識に繋がるのだということ。

でも、そのように認知の構成要素を「我」として実体視することと、世界に関する形而上学的な認識がなぜ繋がるのかということ自体は、右の回答の中で直接に語られてはいませんよね。ですから、そこにはちょっと、私たちが考えてみるべき余地があります。

なるほど、たしかにそうですね

ええ。そこで、次はその点について解説してみようと思います。このことが、「解脱・涅槃とは何か」という問題とも、深く関わっていますからね。

はい。お願いします

So Buddhism is interesting

「世界」とは何か

So Buddhism is interesting

では、いま問題になっている「形而上学的な問い」は、「世界は常住なのか無常なのか、有限なのか無限なのか」というものですから、そこで言われている「世界」の意味から確認していきましょう。

「世界」というのは、第3回の講義で出てきた「世間（ローカ）」のことですか？

そうです、ローカ（loka）のことですね。この言葉は、仏教用語としては「世間」と漢訳されるのが普通です。ただ、「世間」という言葉は、現代日本語としては、仏教の用語とは少し違う意味で使われていますよね。

「社会」みたいな意味になりますね

そうですね。例えば、「世間様が許さない」とか、「世間で言われること」といった感じで、自分が暮らしている世の中や、それを形成している人間関係の総体を、曖昧に指していることが多いですね。

しかし、仏教用語の「ローカ」は、現代日本語で言われる「世間」とは意味内容が異なっておりまして、むしろ私たちが普通に言う「世界」のほうに近い意味で使われていることが多いんです。そこで、今回は思想的に少々込み入った話題を扱いますし、わかりやすさのほうを優先して、便宜的に「ローカ」のことを

「世界」と訳しておくことにします。

了解しました。とりあえず、ローカ=世界と理解しておきますね！

さて、ではその「世界（ローカ）」とは何かと言いますと、定義は色々あるのですが、いちばん簡単なのは「壊れるから世界である（lujjatiti loko）」というもの。ルッジャティというのが「壊れる」という意味ですね。世界を構成している現象というのは全て壊れていく性質をもっている。眼・耳・鼻・舌・身・意という感官も、その認知の対象である色・声・香・味・触・法も、無常であるがゆえに全て壊れる。そこで、「壊れるから世界（世間）である」。原語ですと、「ルッジャティだからローカである」ということで、頭韻を踏んでいる形になります。こういう語呂合わせのような定義はよくありますね。

世界は壊れるものでできており、壊れるから世界であると

はい。また、それ以外のもっと詳しい定義として、増支部の『ローカーヤティ

カ経』という経典にも、「世界」に関する記述があります。今回の問題について考えるためには、非常に参考になる「世界」の定義ですので、以下に該当の部分を引いてみますね。

バラモンたちよ、これらの五種欲が、聖者の律においては世界であると言われる。その五つとは何か？　眼によって認知される諸々の色で、好ましく、求められていて、意に適う、可愛の諸形態で、欲を伴い貪りに染まったもの、そして耳によって認知される諸々の声で（略）、そして鼻によって認知される諸々の香りで（略）、そして舌によって認知される諸々の味で（略）、そして身によって認知される諸々の触覚で、好ましく、求められていて、意に適う、可愛の諸形態で、欲を伴い貪りに染まったもの。バラモンたちよ、実にこれらの五種欲が、聖者の律においては世界であると言われるのである。

ここでは、「世界」というのは「五種欲」のことだと言われています。「五種」というのは、「眼によって認知される諸々の色」、「耳によって認知される諸々の声」、「鼻によって認知される諸々の香り」、「舌によって認知される諸々の味」、そして「身によって認知される諸々の触覚」ですね。

つまり、眼・耳・鼻・舌・身という感官によって認知される、色・声・香・味・触という五つの対象のことでしょうか

そうです。そして、それらは欲を伴い貪りに染まっていると言うのだから、欲望を起こす意識のはたらきとその対象（意と法）も含めて、凡夫が六根六境によって形成する認知の全体が、ここでは「世界」であると言われていると考えてよいでしょう。

なるほど。凡夫は悟った人と違って渇愛を滅尽していないので、その認知は常に欲を伴い貪りに染まっている。そのような、貪りに染まった凡夫の六根六境による認知の全体が、「世界」を構成しているわけですね

そういうことです。そして、この六根六境については、ゴータマ・ブッダは別

の経典で、それらを「一切（サッバ）」、即ち「全て」であると言っているんですね。

「全て」と言いますと？

そのままの意味です。つまり、「眼と色、耳と声、鼻と香、舌と味、身と触、意と法」という、六根六境の形成する認知が、私たちにとっての「全て」であるということ。

いちおう確認しておきますが、「六根」というのは眼・耳・鼻・舌・身・意の六つの感官のことですね。「根（インドリヤ）」というのは、感覚能力、または感覚器官のことですね。インド思想の文脈では、「意（心、知覚能力）」も「根」の一つに含まれます。そして「六境」というのは、それら六根の対象である、色・声・香・味・触・法のことですね。「声」というのは、もちろん音一般のことですし、「触」というのは、身体で触れられる触覚の対象のこと。そして「法」というのが、意の対象となるもの一般のことです。

なるほど。眼耳鼻舌身意／色声香味触法、ですね

はい。仏教にご関心のある方は、できればこの六根六境くらいは覚えておいていただくと、色々と便利だと思います。

わかりました

それで、このように六つの感官（六根）と、それが感覚・知覚するところの六つの対象（六境）がありまして、それらが私たちにとっての「全て（サッバ）」であると、ゴータマ・ブッダは語っていた。これは、哲学者の方々は色々と言われるかもしれませんが、基本的には納得のいくことですよね。五官とその対象に、心とその対象を加えた以外のものは、私たちの認知する世界の中には存在しないでしょう？

そうですね。それ以外のものは、考えようがないですからね

ええ。それに、「六根六境以外のものを考えついたぞ！」と言ってみても、「考えた」ならばその瞬間に、それは心の対象（法）になってしまっているわけです。ですから、六根六境以外のものは考えることもできないし、認知することもできません。ゆえにゴータマ・ブッダも、六根六境以外に別の「一切」を説こうとしても、そこには言葉があるだけで対象がないのだ、と言っています。

私たちにとっての「全て」は六根六境しかないのであって、それ以外の何かを説こうとしても、そこには対象のない空虚な言葉しか存在し得ない、ということですね

おっしゃるとおりです。そして、このことと『ローカーヤティカ経』の記述を合わせて考えますと、ゴータマ・ブッダの言う「世界（ローカ）」というのは、「一切（全て）」を構成する六根六境が、凡夫において欲望を伴った認知を生じた時に、そこに形成されているものであると、とりあえずは考えることができるでしょう。

なるほど。六根六境が欲望を伴った認知を生じた時に、そこで成立しているのが「世界」であると

はい。ただし、誤解しないでいただきたいのですが、「形成されている」とか「成立している」とか言っても、それは私たちが、「よし、ちょっと世界を形成しよう」とか、「どうも都合が悪いから世界は成立させないでおこう」とかいったように、意識的にコントロールできる性質のものではありません。

それはそうでしょうね

ええ。悟っていないパンピー（凡夫）である限り、その衆生の認知には常に根源的なところで欲望（煩悩）が伴っている。例えば、かわいくて清らかに見える赤ちゃんだって、お腹が空いたから泣くとか、好きな人が来たから笑うといった具合で、常に快・不快を動機とする衝動に基づいて行為している。つまり、快いものを求め不快なものを避けるという、快感原則に生まれつき規定されているわけです。

生まれたその瞬間から、衆生は煩悩の支配下にあるわけですね

ええ。ただ仏教的に申し上げれば、いつも言うように、無始時来の長大な輪廻転生のプロセスを通じて、衆生というのはそうした性質のものであり続けてきたわけです。ですから、私たちはこれまでずっと、認知において「世界」を形成してきたというか、私たちにとっては欲望を伴った認知であるところの「世界」というのが、むしろ現実であり事実そのものであるわけです。

So Buddhism is interesting

「世界」を終わらせるということ

So Buddhism is interesting

なるほど。仏教用語で言う「世間（ローカ）」というのが、凡夫にとっては、まさに私たちが言うところの「事実的世界」そのものなんですね

そういうことです。そして、たいへん興味深いことですが、ゴータマ・ブッダにとっては、この意味での「世界（世間）」、即ち、欲望を伴った凡夫の認知という意味での「世界」が、実は苦そのものでもあるんです。「世界」が苦そのものであるからこそ、この意味での「世界（ローカ）」を終わらせることが、苦を終わらせることになるわけです。

なんだか凄いことになってきましたね

そうですね。「苦を終わらせるためには世界を終わらせないといけないんだよ！」「な、なんだってー!!」みたいな話ですね。

ほのかに中二の香りがします（笑）

というか、これだけ聞くと完全に中二病ですよね（笑）。たぶん普通の仏教書、解説書とか入門書には、あまりこのような話はしていないと思うので、「そんな話は聞いたことないぞ！」と思うかもしれませんが、これはもちろん、経典に基づいた話です。私が勝手に創作したわけではありません。

ぜひソースを知りたいです

はい、ではご紹介しますね。『ローヒタッサ経』という経典です。相応部にも増支部にも入っておりまして、上座部（テーラワーダ）圏では、しばしば引用される有名なものです。

はじめて知りました

そうですね。日本では、ひょっとしたら研究者やとくにご関心のある方以外には、あまり馴染みのない経典かもしれません。これはどういう話かと申しますと、ローヒタッサという天（デーワ）が、「世界の終わり」について、ゴータマ・ブッダと対話するものなんですね。

「天」というのは？

いちおう「神」と訳すことができますが、啓示宗教に見られるような創造神・絶対神では全くありません。人間よりレベルが高いというくらいの存在で、いわゆる「天人」というイメージのほうが近いですね。だから単一ではなくてたくさんおりますし、解脱してもいませんから、普通に輪廻転生のプロセスの中にある存在です。

ということは、人間と同じように死んで生まれ変わるわけですね

ええ。人間よりはずいぶん寿命が長いですが、それが尽きれば、また人間として生まれたり、あるいは地獄に落ちることもあり得ます。

なるほど。いわゆる「全知全能の神」とは全く違うんですね

はい。というわけで『ローヒタッサ経』に戻りますが、この経典は、そのような天であるところのローヒタッサが、ゴータマ・ブッダのところに来て質問をす

るところからはじまります。何を質問したのかと言いますと、「生老死もなく、輪廻することもないような世界の終わりに、移動（旅行）することによって到達することはできますか?」と尋ねたんですね。

「移動することによって」ですか

ええ。歩いてもいいですし、当時のインドにそんなものはありませんが、リニアモーターカーに乗ってもいいし、ジェット機を使ってもいい。とにかく、「空間的に移動することによって」ということです。

それで、そのように質問されたゴータマ・ブッダは、「そんなことはできません」と答えた。するとローヒタッサは、「素晴らしいことです」と言って、その回答を称賛します。

なぜ称賛したんでしょう?

そこですね。彼はさすがに神だけあって、前世を覚えているんです。その前世において、彼はローヒタッサ（赤い馬）という名の仙人だった。仙人だから神通力をもっていて、空中を歩いて超スピードで移動することができたんですね。どのくらいの速さかと申しますと、東の海から西の海に一歩で行けるほどでした。

――それはかなり速いですね……。

そうですね。東の海から西の海というのが、インドの東側の海から西側の海ということであるとしたら、インド亜大陸をひとまたぎできるということですから、これはジェット機よりも速い超スピードですね。それで、前世のローヒタッサさんは、これだけ超スピードで移動することができるんだから、ひとつ頑張ってこのスピードで旅行して、世界の終わりに到達してやろうと思ったわけです。

そこで死ぬまでの百年間、ひたすらにその超スピードで移動を続けてみたのですが、百年経っても世界の終わりには到達できずに、途中で死ぬことになってしまった。ローヒタッサ天には、そのような前世の経験がありましたから、「移動することによって世界の終わりに到達することはできない、と言ったブッダは正しい」と、称賛したわけです。

なるほど

そのようなローヒタッサ天の前世の思い出話を聞いた上で、ゴータマ・ブッダは、偈《げ》（詩）によって次のように語りました。引用しますね。

友よ、生まれることもなく、老いることもなく、死ぬこともなく、
死没して再生することもないような、そのような世界の終わりが、
そこへと移動することによって、知られたり、見られたり、
到達されたりすることはないと私は言う。
だが友よ、世界の終わりに到達することなしに、
苦を終わらせるということは存在しないとも私は言う。
友よ、実に私は、想と意とを伴っている、
この一尋《ひとひろ》ほどの身体においてこそ、
世界と、世界の集起と、世界の滅尽と、世界の滅尽へと導く道とを、
告げ知らせるのである。

文中の最後のところに、「この一尋ほどの身体においてこそ、世界と、世界の集起と、世界の滅尽と、世界の滅尽へと導く道とを、告げ知らせるのである」とありますね。「一尋」というのは両手を広げた長さのことですが、その後に続く、「世界」にまつわる四つの表現に注目してください。これを見て、前に勉強した何かを思い出しませんか？

「世界と、世界の集起と、世界の滅尽と、世界の滅尽へと導く道」というところですか？

そうです。

四諦の表現に似ていますね

そのとおりです！　第３回の講義で解説しましたが、四諦というのは、「苦と、苦の集起と、苦の滅尽と、苦の滅尽へと導く道」を語るものでした。ですから、「世界と、世界の集起と、世界の滅尽と、世界の滅尽へと導く道」というのは、四諦と全くパラレルな形式で語られているわけです。

なるほど！　だから、この文脈では「世界」が「苦」そのものになるわけですね

ええ。もちろん、「世界」と「苦」が全くの同義語であるとは言えませんが、少なくとも両者はシノニム（相互に言い換えの可能な別称、類義語）として、ここでは使われている。

第3回の講義でお話ししたように、ゴータマ・ブッダは最初の説法（初転法輪）で、苦と、苦の原因（集起）と、苦の滅尽と、苦の滅尽へと導く道を語ったんですけど、それと同じように、世界と、世界の原因と、世界の滅尽と、世界の滅尽へと導く道とを、ここでは語っているわけです。そして、両者の説き方が全くパラレルであることからもわかるように、この二つは、基本的には同じことなんですね。

苦が滅尽する時は「世界」が滅尽する時であり、「世界」が滅尽する時は苦が滅尽

する時である。したがって、苦を終わらせるということは「世界」を終わらせることに他ならない。そういうことでしょうか

So Buddhism is interesting

「世界」が終われば「苦」も終わる

So Buddhism is interesting

まさにそういうことです！　では、なぜ「世界」と「苦」はシノニムとして語られ得るのか。次はそのことを考えましょう。先ほど確認したことですが、「世界（世間）」というのは、凡夫による欲望を伴った六根六境の認知によって成立するものでしたよね。

はい

そして、この構造は実は「苦」についても同じなんです。「世界」というのは、衆生が眼耳鼻舌身意という六つの感覚能力によって、色声香味触法という六

つの対象を欲望を伴って認識した時に、そこに形成されているものでした。言い換えれば、執著を伴った衆生の認知のことを、「世界（ローカ）」と言っているわけです。そして、その事情は「苦」の生起に関しても全く同じことなんですね。具体的に経典について見てみましょう。相応部の「六処相応」に収められている、『プンナ経』から引用します。

プンナよ、眼によって認知される諸々の色で、好ましく、求められていて、意に適う、可愛の諸形態で、欲を伴い貪りに染まったものがある。もし比丘が、それを歓喜して迎え入れ、執著していると、そのように歓喜して迎え入れ、執著している彼に喜悦が生じる。そしてプンナよ、この喜悦が集起することから苦が集起するのだと、私は言う。

引用したのは「眼によって認知される諸々の色」について語られている部分のみですが、この直後には引き続いて、耳・鼻・舌・身・意が認知する諸々の声・香・味・触・法についても同様のことが述べられています。

六根六境のどれについても、事情は全く同じに当てはまる。「眼」と「色」についてだけの話ではない、ということですね

そういうことです。それで、ここで何が言われているのかと申しますと、「苦」も欲望と執著によって起きるのだという話をしているわけですね。眼によって認知される諸々の色、即ち、眼によって認識される、様々ないろ・形あるもの。物質や身体。その中には、好ましく、「いいなあ」と思われたり、意に適って、「素敵だなあ、可愛いなあ、欲しいなあ」と感じられるものがあるわけです。まあ、端的な例を挙げればおっぱいですね。

例によって例のごとくおっぱいなんですね（笑）

はい（笑）。もちろん、おっぱいだけには限らないのですが、その種の「好ましく、求められていて、意に適う、可愛の諸形態で、欲を伴い貪りに染まったもの」であるところの、何かおっぱい的なものが目の前にあった時に、悟っていないパンピー（凡夫）は、「やった！　おっぱいだ！」と喜びますね。

喜んでしまいますね！

ええ。しかしながら、既にご説明したように、そもそも「おっぱい」という認知をしている時点で、ただの色を「おっぱい」というイメージに形成してしまっているわけです。だから、それは既に「欲を伴い貪りに染まっている」わけですね。そして凡夫は、そのように既に欲を伴い貪りに染まっている対象を見て、「やった！　おっぱいだ！」と、それを歓喜して迎え入れ、そうして執著するわけです。

「歓喜して迎え入れる」というのは、どういうことですか？

おっぱいを見て「やった！」と喜ぶ気持ちにストップをかけずに、そのままそれに流されていくことですね。おっぱいを見て「ああ、いいな」と思ってしまっても、そこでその気持ちに気づいてストップをかければ、それ以上のことは起こりにくい。しかし、「いいな、嬉しい」という欲望にそのままナイーヴに流されていってしまいますと、対象から刺激を補充され続けて欲望はさらに加速し、そうしておっぱいに執着して喜悦を生ずる、ということになるわけです。

まさに「欲望の対象を楽しみ、欲望の対象にふけり、欲望の対象を喜んでいる」状態になってしまうわけですね

そのとおりです。第1回の講義から解説してきているとおり、「欲望の対象を楽しみ、欲望の対象にふけり、欲望の対象を喜ぶ」ことは、衆生にとっての自然の傾向性ですが、ゴータマ・ブッダの仏教は、その当たり前の「世の流れ」に敢えて「逆らう」ことを特徴とする。では、なぜ逆らわなければならないかと言えば、右の『プンナ経』に明確に説かれてあるとおり、そのように「欲望の対象を楽しみ、欲望の対象にふけり、欲望の対象を喜ぶ」ことが、仏教的な意味における「苦」の原因そのものだからなんですね。

なるほど。『プンナ経』の表現に即して言えば、感覚の対象を歓喜して迎え入れ、それに執着していると喜悦が生じる。そのことが苦の原因（集起）になっているのだ、ということですね

そうです。もちろん、あくまで仏教的な意味での「苦（ドゥッカ）」ですけどね。一般には、「おっぱいを楽しみ、おっぱいにふけり、おっぱいを喜ぶ」ことが、苦であると考える人は少ないでしょうから。

それは少ないでしょうね（笑）

「仏教的な意味での苦」については第2回の講義で詳しく解説しましたが、それは端的に言えば、「不満足に終わりがないこと」でしたね。

現象というのは、全て原因や条件によって一時的に成立している無常のものなので、その中で欲望の対象を求める行為にも際限はない。ゆえに、これで「十分に満たされた」ということは決してないから、凡夫の生は「永遠のＲＰＧのレベル上げ」のような、「終わりのない不満足」であり続けるしかない、というお話でしたねはい。例えば目の前に十八歳のピチピチギャルのおっぱいがあったとしても、それは現在は素晴らしいものかもしれませんが、五十年後には、ひょっとしたら残念なことになっている可能性がありますよね。

ひょっとしたら残念なことになっている可能性がありますね

あるいは白骨になっている可能性もないではありません。

そうですね（笑）

それに、かりに十八歳のピチピチしたおっぱいでも、二千回くらいさわったとしたら、「これはもういいかな」と、飽きてくることもしばしばありますね。仏教に言う「苦」というのはそういうことで、一つの欲望の対象を享受したら一定期間は喜ぶことができるけれども、その喜びというのは、永続するということが決してない。一つのおっぱいを楽しみ、一つのおっぱいにふけり、一つのおっぱいを喜んだら、今度はそれに飽きてきて、次のおっぱいが欲しくなる。欲望の対象も、欲望する気持ちそれ自体も、縁起の法則にしたがった無常のものとして、常に流動・変化を続けているからです。

その結果として、「次のおっぱいのために、次の次のおっぱいのために」と、次から次へと新しい刺激を求め続けることになり、そのサイクルには終わりがない。だからこそ、凡夫の生は「終わりのない不満足」としての「苦」になるわけですね

そういうことですね。では、その苦を生じさせないためにはどうしたらいいかと申しますと、これはさきほどの『プンナ経』の続きにも書いてあることですが、欲望の対象を歓喜して迎え入れ、執著し、喜悦を生ずることをやめればよろしい。つまり、おっぱいを目にした時に、それを「やった！　おっぱいだ！」と喜ぶ気持ちに流されないようにして、おっぱいへの執著を防止すればよいわけです。

なるほど。逆に言えば、欲望の対象を喜ぶ気持ちにナイーヴに流されてしまうという、自然の傾向性に逆らえないでいるうちは、欲望の対象に釣られて右往左往

し続けるという苦の状態からは脱却できない、ということですね

おっしゃるとおりです。つまり、仏教的な意味での「苦（ドゥッカ）」というのも、「世界（ローカ）」と同様に、六根六境への執著、あるいはより根源的に言えば、六根六境による欲望を伴った認知によって、形成されて生ずるものであるわけです。

「おっぱい」という欲望を伴った認知が成立してしまっている時に、そこに形成されているのが「世界」であり、またそこには「苦」も生じている、ということですね

はい。そして、ここからわかることは何かと言えば、私たちが基本的には、「物語の世界」の中に生きているということです。「物語」というのは、言い換えれば「欲望によって形成されたイメージ」ですね。例えば、目に入った色が「欲を伴い貪りに染まった」認知として、「おっぱい」というイメージを形成する。それは、如実（ありのまま）の現象そのままの認知からは少し距離のある、言わ

ば「物語」の認知であり、私たちはそのような「物語」のイメージを織り合わせた「世界」の中で生きていて、そこで「苦」を経験しているわけです。

「如実の現象そのままの認知」というのは、どういうことでしょう？

そうですね。これは哲学上のハード・プロブレム（難問題）そのものでもありますが、ここでは入門講義という性質上、非常にシンプルにお話しします。

例えば、私はミャンマーに滞在しておりますので、多少はビルマ語（ミャンマーの公用語）を理解することができるのですが、日本人には、まだビルマ語がわかる人はそれほど多くないですよね。

はい、そうですね

「アグバマーローピョーネーデージャノーピョーダナーレーラー」

いやいや（笑）

何を言っているのかわからないですよね(笑)。いまちょっと話したのがビルマ語なんですが、しかし、ビルマ語を習ったことのない人には、それは「ただの音」としてしか聞こえない。もちろん、日本語だって耳に入ってきているのは「ただの音」にすぎないわけですが、私たちは既に「日本語」という音声データの処理ソフト、言い換えれば「日本語という物語」を脳内にもっているので、その「ただの音」を、意味を伝達するメディアとして受け取ることができるわけです。

なるほど。「日本語」というストーリーに沿って解釈して、はじめて「ただの音」が「言葉」になると

はい。もちろん、あくまで非常に大雑把に、比喩的に言えばですけどね。あるいは、「美しい異性」というイメージにしても同じことで、これも分析してみたら、「おっぱい」と同様に「ただの色」の組み合わせであったり、また「かわいい声」だって、「ただの音」の組み合わせですよね。そこで「綺麗な顔」である

とか「美しい声」であると認識されているものは、実際には色や音といったセンス・データを私たちが欲望含みで構成・統合してイメージ化した、言わば「物語」であるわけです。

そして、そのような「物語」が形成される「前」の、「ただの色」や「ただの音」などが、「如実の現象そのままの認知」であるということでしょうか

それが実際に「ありのまま（如実）」の現象であると言えるかどうかは哲学的に大きな問題であると思いますが、少なくとも、ゴータマ・ブッダの仏教における「如実」の一つの意味を、そのように考えることはできると思います。

なるほど。「欲を伴い貪りに染まった」イメージ、あるいは「物語」によって「世界」を形成することなく、ただ色は色、音は音として現象をありのままに観察するのが「如実知見（ありのままに知り見ること）」だというわけですね

この文脈では、ひとまずそう考えておいて問題ありません。では、私たちはな

ぜそのように現象をありのままに見ることができないのか？　それは、解脱していない衆生には渇愛（欲望）があるからですね。

「欲を伴い貪りに染まった」イメージの織り合わされた「物語」が、凡夫にとっての「事実的世界」となっており、ゆえに私たちは現象を「ありのままに」見ることができなくなっているのだから、当然そういうことになりますね

逆に言えば、「物語」を形成する根源的な動因、エネルギーになっているところの渇愛が滅尽すれば、それによって「世界」は滅尽し、同時に「苦」も滅尽するということになります。

「世界（ローカ）」というのは凡夫の六根六境による欲望を伴った認知の総体のことだから、欲望の根源である渇愛が消滅すれば、当然「世界」も滅尽するし、それとともに、「苦」も生じなくなるということですね

ええ。ただ、このあたりにはもちろんより複雑な事情が介在していますが、あ

まり詳細に語ると入門講義の範囲を超えてしまいますので、これ以上に長々と説明することはいたしません。「世界」と「苦」、およびその「滅尽」に関するより詳細な解説は、『仏教思想のゼロポイント』のほうを、ぜひ参照してもらえればと思います。

So Buddhism is interesting

なぜ我執が形而上学的な認識に繋がるのか

So Buddhism is interesting

ただ、今回の講義での問題である「我執と形而上学的な認識の関係」については解答がまだですから、それについては部分的にここでもお話ししますね。

といっても、さほどに難しい話ではありません。例えば「おっぱい」でも「ポルシェ」でも「スイーツ」でもいいんですが、そのような「欲を伴い貪りに染まった」様々なイメージが形成され、それらが互いに織り合わされて一つの「世界」、統合的な「物語」として成立するためには、絶対に必要なものが一つあるのですが、それは何だと思いますか？

多様な現象の知覚が一つの「イメージ」になり、また、それがさらに統合されて、「世界」として把握されるために必要なもの、ということですか？

そうです。

イメージがまとまるために必要なもの……。「主体」とか、「自分」でしょうか？

まさにそのとおり！　多様な感覚、センス・データが一つのまとまりとして「イメージ」を作り、そして、それがさらに織り合わされて統合的な「世界」を形成するためには、そこに「私（我）」という焦点が必要になるわけです。例えば、先ほどの「美しい異性」という話にしても、目で見ている色や、耳で聞いている声や、あるいはさらに、鼻で感じとられる匂いであるとか、そうした多様で互いに性質の異なるセンス・データを全部まとめて、「綺麗な顔で、かわいい声で、何かいい匂いのする異性」という一つのイメージとして形成しあげるには、「これは私の認知」だという統覚が必要になります。

統覚？

apperception、意識内容を「自己の意識」として総合・統一する作用のことですね。いまの文脈に沿って比喩的に表現すれば、多様なセンス・データ、様々な感覚の入力は、「私」という焦点があって、はじめて一つのイメージとして、統合的な像を結ぶということです。

経典の言葉に即して言えば、認知の構成要素を「これは私のものであり、これは私であって、これは私の我である（etaṃ mama, eso'ham asmi, eso me attā）」というふうに捉えないと、そこにイメージはできあがらないということ。

なるほど。たしかにそうですね

そのように、認知の構成要素について、これは「私」の認知だと捉えること。言い換えれば、「我執」が存在することによって、現象が「ただ現象のみ」ではなくなって、我を焦点としたイメージ（物語）を形成し、それが織り合わされて、「世界（ローカ）」というものが成立しているわけです。

「世界」は「我執」が焦点となって形成された物語であると

はい。どういうことかと申しますと、私たちは感覚・知覚した単なる現象から、「欲を伴い貪りに染まった」物語を形成して、例えば「おっぱい」とか「ポルシェ」とか「スイーツ」といったイメージを作るわけです。そして私たちは、さらにそのイメージにイメージを重ねて、次々と物語を膨らませていくわけですね。

ただ継起しているだけの現象に、これは「女の子」、これは「男の子」、これは「パソコン」、これは「机」、これは「コップ」、これは「ポルシェ」というふうに、ものごとを分けて複雑化していき、どんどんイメージを拡散させ、多様化させていく。

如実には「色」や「音」といったセンス・データに過ぎないものが、「欲を伴い貪りに染まった」イメージとなり、それがどんどん分化・多様化していくわけですね

ええ。そのような拡散・分化の作用のことを「戯論《けろん》（パパンチャ）」と言うのですが、その点については『仏教思想のゼロポイント』で詳述しておりますので、ここでは解説を控えておきます。

いずれにせよ、私たちにはそのように、イメージにイメージを重ねて織り合わせ、それをさらに膨らませて多様化する「癖」がある。そして、そうして形成された「物語」に基づいて推論を進行させていき、ついには「世界」という「絶対的な全体」があると、思い込んでしまうわけです。

例えば、「パソコン」がある、「人」がいる、「猫」がいる、「女の子」がいるといった形で、目の前にあるイメージが、ありのままの事実であるとみなしてしまう。そして、そのようなイメージの多様を所与の事実とした上で、そこから推論を進行させて、「では、いま私には見えていないけれども、どこか八百キロ離れたところにも、女の子がいるに違いない、木があるに違いない、空間があるに違いない」といった観念を積み重ねていくわけです。

なるほど。センス・データからイメージを作り上げ、そのイメージをもとに推論――

を重ねることで、私たちが「事実」と認識するものの総体であるところの、「世界」というものが現実存在すると思い込むわけですね

まさにそういうことです。しかしながら、そのような「絶対的全体」としての「世界」というものは、仏教の観点からすれば、基本的には仮象に属するものになります。

ありのままの現象そのものではないイメージを妄想的に組み合わせて、その「全体」を「世界」だと考えているわけですから、たしかに仏教の考え方からすれば、そんなものは単なる主観的な形象にすぎないものであって、客観的には実在しない。即ち、「仮象」だということにならざるを得ませんね

そうです。簡単に言い換えれば、「脳内世界」ですね。凡夫が単に脳内で勝手に作り上げた、仮象の「絶対的全体」が「世界」であるわけです。ですから、ゴータマ・ブッダの立場からすれば、それが「有限なのか無限なのか」という質問をすることは、既にその時点で、カテゴリーエラーなんですね。

「絶対的全体」としての「世界」というのはそもそも仮象であるにもかかわらず、そのような仮象が現実存在すると勝手に脳内で思い込んだ上で、それが「有限なんですか、無限なんですか」と質問されても、たしかに答えようがありませんね

そういうことです。そんなわけで、今回の冒頭に引用した「無記相応」の経典に戻りますと、ゴータマ・ブッダが、ヴァッチャ姓の遊行者がしたような「世界」に関する形而上学的な質問に答えなかったのも、それがそもそも仮象に基づいている、カテゴリーエラーの問いであったからだということになります。

つまり、君は「絶対的全体」としての「世界」というものが現実存在すると前提した上で、それが有限なのか無限なのかと質問しているのだけれども、そもそもそういう問いが君たちにとって意味をもつのは、君たちが五蘊のような認知の構成要素を「我」だとみなしてしまい、その我執ゆえに「世界」という仮象を形成してしまっているからである。だから君はそのような問いを問うのだし、そして外道の遊行者たちは、そのような仮象の「世界」について、自分が何かを確定的に言えるかのように思いなして、それで「世界は無限ですよ」とか、「いやい

や、世界は有限ですよ」といった、「回答」を与えてしまうのだ。だが、悟った如来は、我執をもたずにものごとをありのままに見ているから、そのような質問に答えたりはしないのである。

当該の経典におけるゴータマ・ブッダの意図を補足すれば、おおむね右のようなことになると思われます。

なるほど。その種のそもそも「勘違い」に基づいた質問に答えても意味はなくて、それよりも四諦や縁起の理法を知って、「ものごとをありのままに見る」訓練をしたほうが、質問者にとってはよいわけですね

はい。そんなことをいくら「ああだ、こうだ」と考えていても、それはそもそも仮象に基づいた戯論の思索であるにすぎない以上、いつまで経っても「正解」にたどり着くことはできないし、もちろん解脱することもできませんからね。

So Buddhism is interesting

「世界の終わり」に行く方法

So Buddhism is interesting

さて、最後にローヒタッサの話もいちおうしておきますと、空間的にどれだけ移動しても「世界」の終わりに到達することのできない理由は、もうわかりますよね。

その「世界」自体が、本人の我執によって形成されたものだからですね

そうです。「世界」というのは「五種欲」のことでしたから、この身体をもった私たちに、六根六境による欲望を伴った認知が生じ続けている限り、いつまでも「世界」は存在し続けることになるわけです。だから、どれだけ超スピードで、どれだけ長いあいだ移動しようが、本人に欲望を伴った認知が生じているという事情が変わらない限り、その過程では常にローカ（世界、世間）が存在し続

けているわけですよ。

そうですね。空間的にどれだけ移動しようが、その意味での「世界」は認知に伴ってどこでも成立し続けるわけだから、「世界の終わり」には絶対に到達できませんね

ええ。ただ同時に、「世界」が成立しているということは、そこに「苦」があるということでもありますから、移動することによっては無理であっても、それとは別の仕方で「世界を終わらせる」ことができなければ、苦を終わらせることもできないわけです。

では、どのように「世界を終わらせる」べきなのかと言えば、それは移動することによってではなく、「想と意とを伴っている、この一尋ほどの身体においてこそ」行われるべきである。なぜなら、イメージ（想）と心（意）を伴っていて、感覚能力を有するこの身体こそが、そのような「世界」と「苦」を生成する場であるからだ。『ローヒタッサ経』で語られているのは、要するにそういうことですね。

なるほど、たいへんよくわかりました

では、次に問題となるのは、具体的にどのように「世界」を終わらせて、「苦」を滅尽するのか、ということになるかと思いますが、それが次回の講義のテーマとなりますので、今日はここまでということにしましょう。

第6回 仏教の実践

f9photos/Shutterstock.com

連続講義も第6回になりました。よろしくお願いします。

よろしくお願いします！

前回は「『世界』を終わらせるということ」という中二病的なタイトルで、「世界（世間）」に関する形而上学的な認識と我執との関係についてお話ししました。

五蘊や六根六境といった認知の構成要素に我執をもってしまうところから、「世界は有限だ」とか「世界は無限だ」などといった、形而上学的な認識に関する議論が生じている、というお話でしたね

そうです。ゴータマ・ブッダの仏教というのは、そのように基本的には衆生の認知の領域にフォーカスして、そこを主題的な問題としており、その認知の変更・転換のことが「悟り」と呼ばれる、ということを申しました。

凡夫の認知が「苦」や「世界」を生起させているのだから、それを転換させて

「迷い」から離れるのが「悟り」であるということでしたね

はい。ただ、これに関しては誤解を招きやすいところでもありますので、今回は前回お話しした内容について、少々補足するところからはじめたいと思います。この「認知の転換」ということは、今回のテーマである「仏教の実践」ということとも、深く関わってきますからね。

So Buddhism is interesting

勉強だけじゃ「世界」は終わらない

So Buddhism is interesting

どういうことでしょう?

仏教というのは、しばしば言われているように「行学《ぎょうがく》」、つまり実践(行)と理論(学)の両側面から体系化されているものです。ゴータマ・ブッダの仏教が衆生の認知の領域を問題としており、その転換が彼の仏教の究極的な目標である

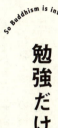

ところの解脱・涅槃であるということは、そのように仏教が理論だけではなくて実践も重視することと、深く関わっているんです。

ちょっと難しいです……

ですよね（笑）。わかりやすく言い換えますと、要するに私が申し上げているのは、「仏教というのは、ただ頭で考えて『こういうことだろう』と『理解』をすれば、それで済んでしまうような体系ではない」ということです。

前に言われていた「おっぱい問題」と似た話でしょうか

まさにそれですね。「おっぱい問題」というのは、どういうことだったか覚えていますか？

「おっぱいは脂肪の塊、もしくは目に入ってくる色の組み合わせ」だと頭で理解して、紙に百回そう書いても、実際に目の前におっぱいが出てきたら、やっぱり私

たちはそれに釣られてしまうというお話でしたよね

そのとおりです。頭の中で概念操作をしてみたり、「ちょっと考え方を変えて」みたりしても、私たちには「欲望の対象」を事実・現実として認知してしまい、それに執著して喜び楽しむという「癖」がついてしまっているのだから、そこが変わらない限り、私たちの行動パターンを現実に変えることはできません。

その「癖」になっている私たちの「行動パターン」が、仏教的には「迷い」と呼ばれているわけですよね

ええ。「ゴータマ・ブッダの仏教においては衆生の認知の領域が主題的な問題となっている」と私が言うのもそういうことで、これは要するに、「ゴータマ・ブッダの仏教において求められていることは、私たち現代日本人のいわゆる『考え方を変える』というようなことではなくて、そのように考えたり判断したりすることの前提条件であるところの、認知のほうを変更・転換することである」ということです。

なるほど。既に成立してしまっている欲望を伴った認知をそのままにして、その上で無理やり「考え方を変える」ことで欲望が存在しないかのようなふりをする。そういうことが「悟り」ではないのだ、ということですね

おっしゃるとおりです。「考え方を変える」以前に、その「考え方」の前提となっている認知のほうを変更しない限り、いつまで経っても私たちは同じところをぐるぐると回り続けるだけになる。仏教の実践は、その袋小路から脱出するためにあるわけです。

前回の講義で言われていたのも、「世界」という仮象が成立するのは欲望を伴った認知によるのだから、その認知が変わらないまま「世界は有限だ／無限だ」といった形而上学的な議論をしている人たちの文脈に、ゴータマ・ブッダは決して乗らなかった。ゴータマ・ブッダはそういう人たちからの質問には答えることなく、代わりに彼らの認知自体を「この一尋ほどの身体において」転換して、「世界を終わらせる」ための方法を説いたのだ、ということでしたね

ええ。ですから、この講義を聞いて、知識として「なるほど仏教の筋道というのはこういうものか」とお考えになるのは構わないんです。前段階として、勉強して知識を獲得していただくために話をしているわけですからね。

ただ、ここでお話ししているのは、あくまで仏教の「悟り」、あるいは「如実知見」の構造を、外側から「説明」したものにすぎないのであって、それは「悟り」や「如実知見」の内容そのものではない、あり得ないということは、同時に理解しておいていただきたいんです。

これはあくまで理論面の「説明」であって、本当の「悟り」や「如実知見」の内容は、実践を行って現実に認知を転換することによってはじめて知られるものである、ということですね

そういうことです。ただ、実践を行うか行わないかの判断をする前に、ある程度の知識は得ておきたい、という人もたくさんいるでしょうから、そうした需要に応ずるために、まずは前段階の「勉強」として、このようにわかりやすくお話

をしているわけです。この話だけで、全てが完結すると思ってはいけません。

なるほど。勉強だけで「世界」を変えることはできない、と

そう。勉強だけでは「世界」は変えられない。知識を積み重ねることによって、「おっぱい」が「おっぱい」として認知されるローカ（世界、世間）を終わらせることはできないわけです。なぜなら、そのような「世界」は渇愛の作用によって、私たちにとっては事実・現実そのものとして成立してしまっていますからね。

「おっぱいは脂肪の塊」と紙に百回書いてみて、それを自分に千回読み聞かせても、「おっぱい」が「おっぱい」に見えてしまい、それに欲望を感じて執著するという事実・現実そのものは変わらないですからね

ええ。仏教の前提として、私たちには渇愛が生まれた時から（より正確に言えば、過去無量の輪廻転生の過程を通じて）作用しており、それが凡夫にとっては

現実であり事実であるところの「世界（ローカ）」を形成しているわけです。私たちが考えたり判断したりするための前提であるところの「事実的世界」の認知は、そもそも欲望を伴った形で、それを条件として成立しているということですね。

そのような欲望を伴った「事実的世界」の認知というのは、もう本当に一瞬でできてしまうんですよね？

いえ、「一瞬でできる」というよりも、私たちは生まれた時には既にその中に「投げ込まれて」いて、それを前提条件として考えたり判断したりしているということです。だから「解脱する」ということは、そういう意味での「事実的世界（私たちにとってのデフォルトの世界）」を乗り越えることとして、「出世間」と呼ばれるわけ。

なるほど。私たちは気がついた時には既に欲望によって形成されたイメージを「事実・現実」として認知するような物語の中に投げ込まれていて、それを前提に

行為していることですね

そうです。そして、そのような「物語」を脱してものごとをありのままに知り見るのが、仏教のいわゆる「如実知見」というやつですね。したがって、それは凡夫にとっては「事実」にほかならないところの「世界」の認知を、現実に転換させることによってしか生じ得ないわけです。

欲望を伴ったイメージによって形成されているのが凡夫にとっての「事実的世界」なのだから、そこから脱して「ものごとをありのままに見る」ためには、当人にとっては「事実」であり「現実」であるところの認知自体を、変更・転換するしかありませんね

そういうことです。そして、そのように認知を転換するためには、欲望の根源であるところの渇愛から離れることが必要であり、現実に作用している渇愛から実際に離れようとするならば、瞑想などの実践を行うことが不可欠になる。仏教に学（理論）だけではなくて行（実践）も兼ね備わっていなければならない理由

は、そういうところにあるわけです。

So Buddhism is interesting

「考える」だけでは悟れない

So Buddhism is interesting

瞑想などの実践を行うことで、自分自身の認知を現実に転換して「如実知見」に至らない限りは、いくら知識を積み重ねても、ゴータマ・ブッダの教説の本当のところはわからない、ということでしょうか

基本的にはそういうことです。日本の近代仏教学による仏教理解が、しばしば捉え損ねてきたのはこの点ですね。とはいえ、仏教というものが、それに関わる人が本人の認知を全く変更・転換することなしに、単にテクストを読んで知識の量を増やすだけで完全に理解できるようなものではない、ということは、経典や論書などの読解だけからでも、明らかに知られることですが。

たしかに、だからこそ仏教徒たちは、二千五百年のあいだ瞑想などの「修行」を実践し続けてきたわけですからね

ええ。本を読んで、知識を積み重ねて、それを元にいくら考えても、その思考の前提となっている本人の認知が変更されていない限り、「世界」を超出することはできないし、ゆえに少なくともゴータマ・ブッダの教説の真意義は理解できない。だから仏教徒たちは瞑想などの「修行」を実践して、凡夫（パンピー）にとっては現実であり事実であるところの、「世界（ローカ）」から脱出する努力を続けてきたわけです。

そうしないと、仏教的な意味で「ものごとをありのままに見る（如実知見する）」こともできないからですね

そうです。仏教用語では「顛倒《てんどう》」と言うのですが、私たちには現象を常であり楽であり我であるといったように、ひっくり返った形で（顛倒して）認知してしまう「癖」がある。そこで、現象を徹底的に観察することで、それらが無常であ

り苦であり無我であるということを、端的な事実として知り見る（認知する）のが「如実知見」ということの一つの意味ですね。

なるほど。逆に言えば、認知の顚倒を修正しないまま仏教のテクストをいくら読んでも、本人の思考の前提が変わっていないのだから、その仏教理解は歪んだものにならざるを得ない、ということですね

まさにそういうことです。しかし、日本の近代仏教学では、もちろん時代状況からして仕方のないことだったとは思うのですが、時にそのことが「スルー」されることがあった。つまり、関わる人の認知のほうが変更されてはじめて理解できるという仏教の性質にはあまり注目しないままに、自身の現状の認知の枠組みに回収できる形で仏教を理解しようとしてしまったわけです。

自分自身の現状の認知のほうは変えないままで、テクストを読んで増やした知識を、近代日本人の通常の認知に合わせる形で解釈してしまったわけですね

ええ。ですから、そこで様々な勘違いが起こった。これまでの講義で私がしばしば言及してきた「はずだ論者」たちの出現にも、それが一つの原因として関わっているのではないかと思います。例えば、輪廻というのは自分の認知の枠組みには入らない。そんな「非合理的な」話をゴータマ・ブッダがするはずはないから、だからゴータマ・ブッダは輪廻を説かなかった「はずだ」といった発想ですね。そういう考え方をした人たちが、皆無だったわけではないと思います。

なんとか「自分の認知の枠組み」の範囲内に収まるように仏教理解のほうを調整したと――

あるいは、「ゴータマ・ブッダはよく考えて悟った」とか、そういう話ですね。何度も同じ話をして恐縮ですが、いくらおっぱいについてよく考えたからといって、事実として私たちが「おっぱい」を認知して執著してしまっているという現状は変わらないわけです。

どれだけ理屈をつけようと、私たちには現実として渇愛が作用しており、それがローカという凡夫にとっての「事実的世界」を形成しているという、理屈をつけている本人の実存形態が変わるわけではない。

「おっぱいは脂肪の塊、あるいは目に入る色の組み合わせ」だと、いくら「理性的に考えて」も、私たちが「おっぱい」を「おっぱい」として認識して、それを欲望の対象として喜び楽しむという現実は変わらない、ということですね

そういうことです。ですから、そうである以上、私たちがそのようにものごとを認知してしまうという前提自体を変更しない限り、現象を如実知見することもできないし、ゆえに「悟り」に至ることもできないわけです。そして、そのような認知の前提を変更するためには、本人の知性だけではなくて身体をも巻き込んだ、実践を行っていくしかない。

「おっぱいは脂肪の塊にすぎないから、今日から僕はおっぱいに執着するのをやめるぞ」と頭で考えて決心しても、身体がおっぱいに反応するのは止められないですからね

はい。ここは日本人が仏教を理解する上で最大の障害になっていることの一つかと思います。つまり、自分自身の認知的な前提のほうは変えないままで、知識の量だけをいくら増やしても、仏教の肝心のところはわからない、ということ。知識比喩的に言い換えれば、中身の自分自身のほうは変えないままで、知識という鎧だけをペタペタと自分の上にいくらくっつけても、それで仏教が「わかる」ようになることはない、ということです。

So Buddhism is interesting

認知を転換するための具体的な方法

So Buddhism is interesting

例えば、前回の講義内容について、「そういうことがあるなんて、僕にはとても信じられない」とか、「そんなことは事実として私にはわからない」といったコメントをくださった方が何人かいらっしゃいました。もちろん、それは正直に思うところを記してくださったのだと思うので非常にありがたいことですし、また、いま話してきたことからすれば、当然のことでもあるんですね。

と言いますのも、おそらく多くの一般的な日本人にとって、瞑想などの仏教の実践はさほどに馴染みのないものでしょうから、そこで仏教的な「如実知見」の認知が多くの一般的な日本人にとって「事実」でも「現実」でもないと感じられるのは、当たり前のことであるわけです。

一般的な日本人の認知なり知的枠組みなりを前提とすれば、仏教の言っていることが「事実」と感じられないのは当然だということですね

はい。そして、そういう人々に対してゴータマ・ブッダの教説がとるスタンスは、現状の認知でそれがわからないのは当然ですが、その認知を変更・転換する方法であれば教えることができますよ、ということ。即ち、仏教における「如実知見」の認知というのは、最終的には「信じる」ものではなくて、自ら「知る」ものだということです。

どういうことでしょう?

「ただ現象のみ」という認知を如実（ありのまま）に知り見るということが、自分にはわからないけどとりあえず存在するのだということにしよう、そう「信仰」することにしよう、という話ではない、ということです。そうではなくて、そのような認知に至るための方法を私は教えることができるから、そのとおりにやれば、あなたは自らそれを「知る」ことができますよ。ゴータマ・ブッダの仏教のスタンスは、そういうものであるということですね。

なるほど。現象が如実には無常・苦・無我であるということは、究極的には「信じる」べきことではなくて、それが端的な事実であるということを、私たちは自ら「知る」ことが可能である。ゴータマ・ブッダが教えているのは、そのための具体的な方法だ、ということでしょうか

そのとおりです。経典のゴータマ・ブッダは、自分の法（ダンマ）は「現に証せられるもの（サンディッティカ）」であり、「来て見よと示されるもの（エーヒパッシカ）」であると言っているんですね。つまり、「とにかくこういうものだから、証拠がなくても信じなさい」という性質のものではなくて、眼前にありあり

と展開する明晰判明な事実として実証可能な教えである。だから、come and see（エーヒパッシカ）、「やって来て、己の目で見て知りなさい」と、ゴータマ・ブッダは言うわけです。

いま世界中の瞑想センターで教えられ、多くの人々が実践しているのは、その「認知を転換するための具体的な方法」である、ということですね

はい。しばしば経典に語られる比喩なのですが、目の見えない人がいたとして、その人が「私に色は認知できない。だから色は存在しない」と言ったとしたら、それは正しいと思いますか、とゴータマ・ブッダが対話の相手に訊くことがあります。と言いますのも、目の見えない人は、色を認知することができませんよね？

見えませんから、当然そうなりますね

ええ。そこで、その目の見えない人が、かりに「世の中の人は、色というものがあると言うけど、私は色なんてものを見たことがない。だから、色というものは存在しない」と言うとする。この主張を承認することはできますか、とゴータマ・ブッダは尋ねるわけです。

それは承認し難いですね

そうですね。哲学的に問題を複雑化することは可能だと思いますが、少なくとも常識的なレベルにおいて考える限りでは、この主張を承認することは難しい。視覚に問題のない人であれば、色を認知することは普通に可能であるわけですから、それが認知できないというのは、色を観測するための装置がないこと、つまりは視覚という感覚能力が失われていることが原因なのであって、色自体が存在しないというわけではありません。逆に言えば、「見る」という視覚の能力さえ備わっていれば、存在している色を認知することは当然可能であるはずだ、ということになります。

そうなりますね

ええ。もちろん、この話はあくまで経典に出てくる比喩であって、現実の視覚障碍者の方がそのような主張をする、ということではありません。そこで、次の話もそのようなものとして聞いていただきたいのですが、この喩えに即してゴータマ・ブッダの教説の性質について説明してみましょう。

例えば、「自分は目が見えない」と言う人がいたとして、その人に対して「色という認知が存在することを証明せよ」と言われたら、どうしますか？

それはちょっと、無理なんじゃないでしょうか……

まあ非常に難しいですよね。色というのは、それ自体としては感覚質（クオリア）ですから、その存在を示唆する傍証であればいくらでも積み重ねることができるかもしれないけれども、「赤」なら「赤」というクオリアの経験が存在すること自体は、目によってそれをまさに「感覚」することによってしか、確認しようがないわけです。

そうですね

だからゴータマ・ブッダは、そういう「説明」はしないんですね。「自分は目が見えないので色を認知できない。しかし、あなたは色というものがあると言う。色の認知が存在すると言うのであれば、目の見えない私に対して、色を認知するというのはどういうことか、一から十まできちんと説明して納得させてください」と要求されても、ゴータマ・ブッダはそれに対しては応じないわけです。どれほど「説明」したところで、その内容は色の認知それ自体とは異なることになりますし、場合によっては、むしろ誤解を積み重ねる結果になりますからね。

なるほど

ゴータマ・ブッダの教えは、そのように「説明」を繰り返して、聞き手に知的な「理解」をもたらすことを目指すような性質のものではなくて、いまの喩えに即して言えば、目の見えない人に対しては、目を開いて見えるようにする方法を教えるものです。

ゴータマ・ブッダの仏教は、目が見えない人に対して、その人が「見えない」ということはそのままにしておいて、ひたすら「色というのは、こういうものですよ」と「説明」を続ける教えではない。そうではなくて、それは本人が視覚能力を得て目を開き、自ら色を確認することができる方法を説く教えだということでしょうか

So Buddhism is interesting

なぜ「無記」だったのか

So Buddhism is interesting

基本的にはそういうことです。ゴータマ・ブッダが形而上学的な質問に対しては「無記」の態度を貫いたのも、それゆえですね。例えば、目をギュッと閉じて、「私は絶対に目を開けない。絶対に目を開けないから、その私に対して色の存在を証明してみろ」と言われても難しいでしょう?

そんな人に教えるのは無理です（笑）

無理ですよね（笑）。あるいは、「私は絶対に目を開けない。目を開けないが、その私と、いまから色について徹底的に議論しようじゃないか」と言われても疲れるだけで無駄じゃありませんか？

ぐったりさせられそうですね……

哲学者さんたちには別の意見があるかもしれませんが、まあ基本的には話が面倒になるだけだし、相手の人も誤解を積み重ねるだけの結果に終わりそうですよね。だからゴータマ・ブッダは、「いやいや、私はそういう話は一切しないし、そういう議論にもつきあわない。ただ私が教えるのは、目を開くための方法である。それをもしやりたいと思うのであれば、ちゃんと教えてあげるからやりなさい。やる気がないなら他に行きなさい」という態度でいるわけです。

それはそれで、たしかに筋の通った態度ですねそうですね。もう少し説明を追加しておきますと、例えば「群盲象を撫でる」というの比喩があります。「群盲」というのは、複数の目の見えない人たち、ということですね。そのように目の見えない人たちが、象について知りたいと思って、どうしたのかというと、見えないから象を撫でた、つまり触ってみたということです。ただしもちろん、この話も現実の視覚障碍者の方々のことではなくて、あくまで経典の説話に即した比喩として聞いてくださいね。

はい

さて、そんなわけで目の見えない人たちが象に触ってみたのですが、象というのは大きいものですから、部分的にしか撫でることができなかったわけです。それで例えば、ある人は象の脚《あし》を触って「なるほど、象というのは太い柱のようなものだな」と把握する。また別の人は、鼻を触って「うむ、象というのはホースのようなものだな」と理解する。そして、さらに他の目の見えない人は、耳を触って「ふむふむ、象というのはペラペラの団扇《うちわ》のようなものだな」と考える。そういうことが起こったとしましょう。
そこで、そのように「象」に関する別々の経験・把握をした三人が集まって、互いに「象」とは何かという議論を闘わせたとしたら、決着はつくと思いますか？

それはつかないでしょうね

難しいですよね。だって、その人たちは自分自身の現実の経験に基づいて、「象は太い柱のようなものだ」といった理解をしたわけです。だから、「象というのは太い柱のようなものだと、私はしっかり経験したし、これは事実である」、「その事実に基づいて、私は『象は太い柱のようなものだ』と言っているのだ」という話になってしまうわけです。

そうですね。たしかに彼らが触覚によってそういう認知を得たことは事実ですし、三人とも嘘はついていないですからねええ。彼らは全員が自分の認知した「本当のこと」を言っているのだから、そこで「ならば、どれが正しいのか」という議論をはじめてしまうと、互いのあいだで決着をつけるのは難しい。

そんなわけで、議論が膠着してしまった三人がゴータマ・ブッダのところにやってきて、「ゴータマ先生、いま私たちは議論をしているので真実を教えてください。象というのは太い柱ですか？ ホースですか？ それとも団扇ですか？この三つのうち、正しい答えはどれでしょうか？」と質問したとしたら、これにはどう答えたらいいと思いますか？

「どれも間違っている」でしょうか

そうですね。象は太い柱でもホースでも団扇でもありませんから、挙げられた三つの選択肢は全て誤りです。ただ、先ほど申し上げたように、彼らは自分自身の現実の経験に基づいて、「象というのは太い柱のようなものだ」「ホースのようなものだ」「団扇のようなものだ」ということを「事実」であると考えているわけです。そこで、もし彼らが自分の経験した「事実であり現実である象」に強く固執していたとしたら、その認識を否定した上で、「正しい象」について言葉で教えるのは難しくなるでしょう。

たしかに、議論が堂々巡りになってしまうかもしれませんね

ええ。ですからゴータマ・ブッダは、そのような質問には決して答えずに、代わりに「目を開くための方法」を教えるわけです。視覚能力を獲得して象を観察しさえすれば、「説明」によって余計な混乱や誤解を招くこともなく、まさに「一目瞭然」に理解できることですからね。

なるほど

形而上学的な質問に対してゴータマ・ブッダが「無記」の態度を貫くのも理由は同じです。彼らは己の欲望を伴った認知(仏教的に言えば、顚倒し歪められた認知)に基づいて、如実のものではない仮象の「世界」を形成し、それを実体視した上で、「世界は有限である」とか「無限である」とか、そのような無益な議論

を続けている。

欲望によって形成された諸々のイメージが、「世界」という「絶対的全体」を構成していることを無意識の前提とした上で、「世界は有限であるか、無限であるか、有限でありかつ無限であるか、有限でも無限でもないか。論理的可能性はこれしかない以上、この四つのうちのどれかは必ず正しいに違いない」といった思考に陥るわけです。

先ほどの「象は太い柱なのか、ホースなのか、団扇なのか。このどれが正しいのか?」という問いと同じですね。そもそも前提において誤ってしまっていると――

そういうことです。ただ、質問者たちにとって、欲望を伴ったイメージによって形成される「物語」は「事実的世界」そのものですから、そこを「説得」によってなんとかしようとはゴータマ・ブッダは考えない。だから、彼は形而上学的な質問に対しては「無記」の態度を貫いて直接には決して答えず、代わりに縁起や四諦の法を説いて、彼らを「如実知見」の認知へと導こうとするわけです。

So Buddhism is interesting

この講義の「使用法」

なるほど。でも、いまの魚川さんは、すごく「説明」してますよね

おっしゃるとおりです（笑）。本当だったら、このような「説明」は余計なことですし、実際、前回の講義で紹介した「無記相応」の経典でも、「世界は有限か無限か、といった形而上学的な質問に答えてしまう人たちは、五蘊のような認知の構成要素に対する我執を抱いているがゆえに、そのような回答を与えてしまうのである」と言うだけで、テクスト自体は終わってしまうわけです。私はわざわざ、そこで語られていない「我執と形而上学的な認識の関係」について、余計な説明を加えているわけですね。

ただ、なぜそんな「余計な説明」をするかと申しますと、私自身も基本的にはそのようなタイプなのですが、「実践しないとわからない、ということだとして

So Buddhism is interesting

も、せめて『なぜ実践しないとわからないのか』という問題の構造くらいは、もう少し筋道立てて説明してもらわないと、実践しようという気にもなれない」という人たちは、とくに現代日本人には少なからず存在するのではないかと思うんです。

そういう人たちは多いでしょうね

ええ。ですから、そのような需要はそれなりにあると思いますので、本来的には余計なことである「説明」を、こうしてクドクドとしているわけです。

「そこを知りたい」という人はたくさんいると思います

ただ、そうは言っても、そのように細かく「説明」を重ねることによって、「なるほど。これで全てわかった」と思われても、それはそれでやっぱり困るわけですね。私が本講義で行っているのは、「理屈と筋道の話を聞いているだけでは駄目で、最終的には実践をしていただかないと、本当のところはわかりません」というところまでを、何とか理屈と筋道でお話ししようとすることなんです。『大乗起信論』というテクストに、「言説の極《ごく》、言に因《よ》って言を遣《や》る」という有名な言葉がありますが、私のやろうとしていることはまさにそれですね。

なるほど。言葉による「説明」の届かない領域があることを、ぎりぎりまで言葉で語ろうとしているわけですね

ええ。ただし言うまでもないことですが、テクストを精緻に読解して仏教の構造を筋道立てて把握しようとすることが、無意味であるというわけでは全くありません。実践を主にやっている人たちの中には、仏教の語学的・文献学的な理解を軽視して、むしろテクストに関する自分の無知を誇るかのような風潮も一部に見られないわけではありませんが、その種の人たちが想像するよりも、テクストを徹底的に読解することによって知られることは遥かに多い。

先ほど言われていたように、行（実践）と学（理論）は仏教において相補的なものであって、どちらか一方だけを強調して、他方を否定するのは誤りだ、という

ことですね

はい。ただ、今回の講義で実践の意義について詳しく述べているのは、日本においては仏教の「行学」のうち、「学」の側面については近代仏教学の成果による高水準の理解が達成されているけれども、他方「行」の側面については重要な部分に理解の行き届いていないところがあって、それゆえ仏教全体の把握についても、しばしば日本人の理解が歪んでしまっているところがあるように思われるからですね。

今回の講義でずっと強調されている、「仏教を本当に理解するためには、最終的には実践を行って、理解しようとしている本人の認知のほうを変更・転換する必要がある」というところですね

まさにそのとおりです。先ほど申し上げたとおり、仏教においては学問的な筋道の理解というのがとても大切です。二千五百年の仏教史を通じて、実際に多くのテクストが書かれてきましたし、それを緻密に読解していきますと、それだけ

でわかることというのが本当にたくさんあります。

ただ、前回と今回の講義でお話ししてきましたように、少なくとも経典から知られるゴータマ・ブッダの仏教というのは、衆生の認知の領域を主として問題としているものであり、それを転換させて解脱に至る（転迷開悟する）ために教えを説いているわけですから、そのギリギリのところを理解しようと思ったら、仏教を理解しようとしているその本人が、自ら己の認知を転換させないといけないわけです。仏教において実践が必要とされるのは、それゆえですね。

なるほど。だから、「本を読んだだけで全てが理解できたと思ってはいけない」わけですね

そういうことです。それさえわかっていただければ、本講義の意図は、ほとんど達成されたようなものです。つまり、「これ以上は実践しないとわからない」というところのギリギリまでを、何とかお伝えしたかった、ということですね。その上で、実際に瞑想などの実践をやってみようと思うかどうかは、もちろ

ん各人のご判断ですから。

そうですね

教養の一つとして仏教の話を聞いてみたけど、ある一定以上のことは実践を自らしてみないとわからないというのであれば、そこまでの興味も時間も自分にはないから、瞑想までするのはやめておこう、という判断は当然あり得る。あるいは、ではちょっと自分でもやってみよう、と考える人たちもいるかもしれませんが、そういう需要に応える場であれば、現代日本にもたくさんあります。

テーラワーダや禅やチベット仏教など、様々な伝統に沿った瞑想を教える先生方が、日本にも増えてきていますしね

ええ。そういうところに顔を出してみれば、とりあえず実践を試してみることはできるでしょう。ただ、理論について詳細に述べた著作は多くありますし、実践を教えてくれる先生もたくさんいるけれども、理論と実践の関係について、そ

の両方に目を配りながら丁寧に解説する書籍はあまりなかったように思うので、そのために本講義や『仏教思想のゼロポイント』が役に立てば、ということですね。

なるほど、よくわかりました

So Buddhism is interesting

戒・定・慧の三学

So Buddhism is interesting

さて、ではそろそろ具体的な実践の話題に移ろうかと思いますが、この点に関しては、いま述べましたように現代日本には立派な先生も素晴らしい解説書も揃っていますので、あまり私が細かいことを言う必要はないかもしれません。何度か言及しているウ・ジョーティカ師の『自由への旅』などは、非常に詳細かつ懇切な瞑想実践の解説書ですし、そこに私が付け加えるべきことはほとんどないんです。

『自由への旅』は、テーラワーダのヴィパッサナー瞑想を解説した本ですよね

そうです。一口に仏教の実践と言っても、宗派ごとに様々なものがあります。いわゆる瞑想だけが仏教の実践であるわけではもちろんありませんし、瞑想にも、それぞれのセクトや教師によって、多様な方法論が存在している。テーラワーダにはテーラワーダの瞑想があるし、禅には禅の瞑想がある。そして、同じテーラワーダの瞑想でも、先生の属している流派によって、教えていることが異なることはしばしばあります。

全ての仏教に共通する実践のフォーマットのようなことは、語りにくいわけですね

そのとおりです。ただ、基本的にはどの宗派においても維持されていて、仏教者であればほとんどが同意するであろう実践に関する基礎教理というのは存在しますから、その話からいたしましょう。

まず、「三学《さんがく》」という仏教の基本中の基本である教理があります。シーラ

（戒）とサマーディ（定）とパンニャー（慧）[1]の三つで三学。これはどんな仏教の入門書にもおそらくは書いてある基礎教理ですから、仏教にご関心のある方は、覚えておいても損はないと思います。仏教というのは、この戒学・定学・慧学という三つの基本的な学を修めることによって、修行者を「悟り」へと導くものだということですね。

この三学は、だいたい全ての仏教に共通している、教理の基本だということですね

そういうことです。では、まず「戒」について申し上げますと、これは仏教者が修行のために自らに課する戒め、あるいは悪い行いをしないという自発的な誓いですね。基本的には身体の行為と言葉の行為について、悪を行わないように自ら決心し、戒める。そのことをシーラと言います。具体的には在家者のための「五戒」などが有名ですが、これはご存知ですか？

お酒を飲まないとか、殺さないとかですよね

それは「不飲酒戒《ふおんじゅかい》」と「不殺生戒《ふせっしょうかい》」で、たしかに五戒の一部ですね。他に「不《ふ》偸盗《ちゅうとう》」「不邪淫《ふじゃいん》」「不妄語《ふもうご》」という三つがあります。それで五戒。不殺生は殺さないこと。不偸盗は盗まないこと。不邪淫は不倫をしないこと。不妄語は嘘をつかないこと。不飲酒は酒を飲まないことですね。

読んで字のごとくですね

ええ。この在家の五戒は戒の代表的なものですね。ちなみに、僧侶が教団（サンガ）をつくって集団生活をする上での規則のことは律（ウィナヤ）と呼ばれます。日本語では「戒律」というふうにまとめて述べることが多いですが、戒と律は、互いに関係はしているものの、本来的には別の概念ですね。

なるほど、そうだったんですね

1 paññā はパーリ語。サンスクリット語では prajñā になる。

はい。では、戒というのはそういうものだとして、この三学というのは三角形だと考えておいてください。三角形というのは、つまり戒というのが土台になるわけです。三角形の底の部分ですね。ですから、その戒という基礎がしっかりとできてはじめて、次の定も得られるということになります。

なぜ定が必要なのか

So Buddhism is interesting

では、二つめの定というのはなんでしょう?

定というのは、「禅定」のことです。禅定、サマーディというのは、英語ではconcentrationと訳されますが、つまりは集中、集中力のことですね。この集中力というのは仏教において非常に大切でして、考えるだけで仏教が理解できると主張する人たちは、そこを甘く見積もっていることが多いと思います。例えば、相応部の『三昧経（サマーディ・スッタ）』において、ゴータマ・ブッダは以下のように述べている。

比丘たちよ、三昧（定）を修習せよ。入定した比丘は、如実に知見するのである。

「三昧」というのは、「サマーディ」の音写語ですね。要するに禅定のことです。右の経文では、このサマーディを修習することで禅定に入った（入定した）比丘は、如実に知見するのだと言われている。つまり、ここでは入定することが、「如実知見」の条件であるとされているということですね。

「入定」、つまりサマーディに入って集中力が高まった状態になることで、はじめてものごとをありのままに知り見ることができるのだ、ということでしょうか

ええ。だからこそ「定を修習せよ」、つまり、禅定をやって集中力を高める訓練をせよ、とゴータマ・ブッダは比丘たちに教えているわけですね。

なぜ定が如実知見に繋がるのでしょうか？

そこですね。説明は様々にあり得ると思いますが、ここでは実践の文脈から話をいたしますと、これも先ほどの認知の変更・転換という問題と大きな関わりがあります。

集中力を高めることが、認知の変更・転換に繋がるということでしょうか

ええ。既にご説明したとおり、私たちの通常の認知というのはそもそも欲望を伴った形で成立しているものですから、どう自分に言い聞かせようと、やはり「おっぱい」は「おっぱい」に見えてしまうし、それに執著もしてしまうわけです。そのような通常の認知から、少なくとも一時的に距離をとるための方法として、強烈な集中力を鍛えることにより、ある意味では無理やりに、自身の知覚を通常の状態から引き剝がすということをするわけです。

そんなことできるんでしょうか？

まあ、ここは最終的にはご自身で確かめていただくしかないことですが、あくまで理解を助けるためのアナロジーとして申し上げますと、似たようなことは、例えばスポーツ選手にも起こることがありますね。強烈な集中力、コンセントレーションによって、通常の認知とは異なる知覚の状態に入るということは、しばしば語られることがあるでしょう。「ゾーン」などという言葉は、有名ですよね。

聞いたことがあります。野球選手が調子のいい時は、ピッチャーの投げる球が止まって見えたりするとか、そういうことですよね

そうそう。極度の集中力によって、通常ならば見えないものが見えてきたり、時間がゆっくり流れているように感じられたりする。だから「球が止まって見えたりする」わけですが、これは通常の認知ならあり得ないことですよね。時速百五十キロメートルくらいの球が自分に向かって飛んでくるのに、それが「止まって」いるように見えるわけですから。

たしかに（笑）

ところが、瞑想にはその「通常の認知ならあり得ない状態」を目指していくところがあります。これはテーラワーダの瞑想センターで本当によく言われることで、皆さんも実際におやりになってみたら経験することがあると思いますが、集中力が上がってくると、ものがゆっくり知覚されるようになる、ということが起こります。自分自身の身体の動きが、細かく分節されて感じられたり、あるいは音楽が「解体」されて、連続したメロディーとして聴こえなくなったりする。

そんなことがあるんですか！

はい。これ自体は、しばらく瞑想をしていれば多くの人が経験することで、さほどに珍しいことでもありませんけどね。他にも色々な知覚の変化の例が、先ほど言及したウ・ジョーティカ師の『自由への旅』に挙げられているので、ご関心のある方はそちらもお読みになってみてください。

たしかに、スポーツなどの世界でもしばしば起こることだと言われるのだから、人間一般にとって、それほど珍しい知覚体験ではないのかもしれないですね

そうですね。ただ、いわゆる「ゾーン」の場合は、それが起こるのは限られた短い時間のことですよね。集中力が極限まで高まった数分間とか、長くてもせいぜい試合が終わるまで。そのくらいでしょう。だけど、瞑想センターの場合は、そのゾーンの状態に二十四時間いることを目指しなさい、と言うんです。

それは凄いですね！

凄いですよね。ものがゆっくり見えるような極度の集中状態に、二十四時間とどまり続けるスポーツが瞑想だ、みたいな話にも感じられる。ただし、もちろん瞑想はスポーツではありませんし、「ゾーン」に似た状態も、それ自体が目標になるというよりは、あくまで集中力を高めていく実践をしたことにより、結果として到達するものにすぎません。ただ、集中力を高めていけば、知覚がそのよう

に変わってくるので、その状態を保ったまま、高い集中力を維持しておくことがサマーディの力を鍛えることになる、ということですね。

なるほど

そして、そのような知覚の変化が必要になる理由は既に申し上げたとおりで、そのレベルの、通常の認知が変更されるくらいの強烈な集中力があってはじめて、仏教に言うところの「如実知見」に、私たちは近づくことができるから。つまり、定の集中力を得てはじめて、私たちは普通だったら現実であり事実であるものとして認識してしまう「世界」から、己を引き剝がすことができるわけです。

ただ概念操作をして「考え方を変える」だけではなくて、定の集中力によって己の認知を実際に変更することが、「ありのままにものごとを見る」ための条件になるということですねそういうことです。定というのは、そんなわけで精神集中のことなのですが、そのような高度な集中力を育てるためには、やはり生活が安定してないといけません。自身が殺生や邪淫を繰り返すような粗雑で不安定な生活をしていたら、精神の集中力を鍛えて安定した禅定の状態に入り続けることも難しくなる。だから、まず戒を守って生活を整えることが、定を育てるための土台になるんですね。

先ほど言われていたように、戒が三学という三角形の土台になるということですね

So Buddhism is interesting

智慧の意義

So Buddhism is interesting

はい。そのように戒を土台として定を修めると、次にその二つをさらに土台として出てくるのが、仏教の究極的な「悟り」の認識である「智慧」ですね。この智慧（慧）が生ずることによって、修行者は煩悩を刈り取り、渇愛を滅尽して解

脱に至ることができるというわけです。

定で精神集中を高めただけで終わりというわけではないんですね

ええ。例えばテーラワーダではどのように三学を理解しているかと言いますと、まずは戒を守ることによって、身体と言葉に表現される粗い煩悩を抑制する。つまり、暴力を振るったり、盗んだり、嘘をついたりといったような、そういう身体と言葉の行為として表面に現れる煩悩を戒律によって抑制するわけです。

なるほど。戒律によって、身体と言葉に表れる煩悩を防ぐわけですね

はい。しかし、身と口の煩悩はそれで抑制できても、意に現れる煩悩、つまり心の中に勝手に浮かんでくる煩悩は、戒律では抑制しにくいですよね。例えば、おっぱいが目の前にあった時に、「手を伸ばしてそれを触らない」というルールを自分に課して、それを守ることはできるけれども、おっぱいを目にした時に、

「ああ、いいなあ」と欲望を抱いてしまうこと自体は、心が勝手にそう感じてしまうのだから、ルールによっては防止しにくいでしょう。

そうですね。「手を伸ばして触る」という身体の行為はルールで禁止することができるけれども、「いいなあ」と感じてしまうこと自体は、ルールではどうにもなりませんね

そうです。だから、それをサマーディ（定）で止める。サマーディというのは、一つの対象に向かって徹底的に集中していくことですから、そうやって心の対象を純化する訓練を積むことによって、心の表面に煩悩が浮かんでくることも抑制するわけです。そのようにすることによって、身業と口業と意業、つまり、身体と言葉と心という、三つのレベルでの行為（業）に現れる煩悩を防ぐわけですね。

三段構えになっていると

そういうことです。さて、そのように表面化してくる煩悩については、戒と定によって抑制することができるのですが、ただ仏教では業と輪廻の世界観をとる以上、表面化してくる煩悩だけを対治すれば、それで話が済むというわけにはいきません。第4回の講義で詳しく解説したように、私たち衆生は無量の過去生において積み重ねてきた行為とその作用の結果として、いま・ここに現存しているものですから、表面化してくるものをとりあえず抑えても、そこにはまだま だ、業の潜在的なエネルギー、潜勢力が残されているわけです。

身口意《しんくい》に表面化してくる煩悩については戒と定で抑制できるが、その根源にある業の潜在的なエネルギーに関しては、戒と定だけでは滅尽できない。そこで、この潜勢力を刈り取るのが、戒と定に基づいた智慧（慧）である、ということでしょうか

So Buddhism is interesting

気づき(マインドフルネス)の実践

So Buddhism is interesting

そういうことです。では、そのために具体的には何を実践するべきなのか。参考のために、『スッタニパータ』の第一〇三五偈から引用してみましょう。

世界における諸々の煩悩の流れを堰《せ》き止めるものは気づきである。この煩悩の流れの防御を私は説く。その流れは智慧によって塞がれるであろう。

凡夫の生きる現象の世界(ローカ)においては、欲望の対象に向かって常に煩悩が流れている。その流れを堰き止めるものが「気づき(サティ)」であると言われています。ただ、気づきによってとりあえず「堰き止める」ことはできたとしても、それで煩悩の流れの源泉までを閉塞できるわけではありませんから、それを行うのが「智慧」である。そういうことですね。

まずは気づきによって、煩悩の流れを堰き止めて防御することが必要なんでしょうか

はい。長部の『大念処経』や中部の『念処経』では、冒頭において、この気づきの実践こそが涅槃を実現するための「唯一の道（ekāyano maggo）」であると言われています。ここはもちろん、宗派ごとに意見の分かれるところでしょうが、少なくともテーラワーダにおいては、これが文字どおりに受け取られて、気づきの実践こそが涅槃に至るための行法であると認識されています。

「気づき（サティ）」というのは、具体的にはどういったことなのでしょうか？

基本的には、このところよく話題になる「マインドフルネス（mindfulness）」のことですね。その意味は読んで字のごとくmind-ful-nessということで、要するに一つ一つの行為に意識を行き渡らせることです。これがなぜ重要かと申しますと、私たちは自分が何か行為をする際に、しばしば十分に意識の注意力をはた

らかせずにそれを行ってしまい、ゆえにその行為に伴っている煩悩にも、多くの場合は気づかずにいるからです。もっと言えば、普通の人々は、たいてい自分が無自覚であることにすら気づいていません。

どういうことでしょう?

例えば、会社や学校に行く時などに、自分が歩いていることに気がついていない、意識が行き渡っていないということはよくあるでしょう? 何か別のことを考えながら歩いていて、気がついたらいつの間にか駅についていた、といった経験は、誰にでもあるのではないでしょうか。

それはよくありますね

ええ。実際に気づきの瞑想をしばらく実践されてみればわかるかと思いますが、私たちの日常の行為というのはたいていそのようなものであって、つまりは自分の身口意の振る舞いについて、多くの場合に無自覚なんですね。

もちろん、ある程度の意志はどの行為にもはたらいているものの、十分な意識の注意力はそこに伴っておらず、あたかもロボットのように、オートマティックに行為をしてしまっていることが多い。そして、私たちは自分がそのように無自覚に行為をしていること自体にすら、大半の場合は気がついていないわけです。

「オートマティックに行為をする」というのは、どういうことですか？

立つ時には「立つ」という現在の行為に意識を行き渡らせ、食べる時には「食べる」という現在の行為に意識を行き渡らせるということをせずに、たいていは過去や未来のことに心を奪われながら、行為自体は癖によって自動的に行ってしまうということです。

先ほどの例で言えば、駅に向かって歩いている時には、たいてい「歩いている」という現在の行為に意識を集中しているわけではなくて、会社や学校に着いてからどうするか、といった未来の計画や、あるいは過去に経験した出来事の思い出に心を奪われながら歩いていますよね。だから、「いつの間にか」駅についてしまう。

なるほど。たしかに私たちの心は多くの場合に過去や未来のことに占められていて、現在やっている行為そのものに意識を行き渡らせているということは少ないですね

ええ。そのような、いわば「癖」によって自動的に行為しているロボットのような状態から脱して、まずは己の現在の行為に意識の注意力を向け、立っている時には「立っている」と知り、歩いている時には「歩いている」と知る。そして、その際に自分の心に欲望の対象を求める貪りの心（貪欲）がある時には「貪欲がある」と気づき、それがなければ「貪欲はない」と気づいている。『仏教思想のゼロポイント』には、経典を引きつつもう少し詳しく説明してありますが、基本的には、「気づきの実践」というのはそのようなものだと考えておいてください。

なぜ「放逸は死の道」なのか

So Buddhism is interesting

なんだか、ものすごくシンプルな実践ですね

そうですね。マインドフルネスの実践というのは、それ自体としては非常にシンプルなものなので、「え？　それだけなの？　そんなに簡単でいいの？　そんなことが大切なの？」と、疑問に感じられる方もいるかもしれません。この点について解説するために、『ダンマパダ』の非常に有名な偈を挙げておきましょう。第二一偈からの引用です。

不放逸は不死の道。放逸は死の道。不放逸の者たちは死ぬことがない。放逸の者たちは死者のごとくである。

So Buddhism is interesting

「不放逸」というのは「放逸」の対義語で、中村元先生は「つとめ励む」ことと訳していらっしゃいますね。「放逸」というのはその反対だから、要するに「怠ける」こと、ダラダラすることです。つまり、ダラダラ怠けないで、つとめ励むことは不死の道であり、ダラダラと怠けるのは死の道である。つとめ励んでいる者たちは死ぬことがないが、ダラダラ怠けている者たちは死んでいるのと変わりがない、と言っているわけです。

どういうことなんでしょうか？

これはもちろん、いまお話ししたことと関係があります。と言いますのも、「不放逸」と「放逸」という状態については様々な解釈があり得るでしょうが、その一つの理解としては、先ほど申し上げたような意味での「気づき」を保っているかどうか、ということだと考えられる。つまり、常に気づきを保って、一生懸命に修行を続けている人というのが「不放逸」の人であり、いつも無自覚に、ただダラダラと生きている人が「放逸」の人であるということですね。

「放逸」というのは、気づきを保つことを怠けてダラダラ生きている状態であると

はい。それがどういう状態かというと、いま申し上げたように、自分の日常の行為について無自覚である状態ですね。自分が常に過去や未来のことに心を奪われていて、いま・ここの現在の行為に注意が向かっていないという、そのこと自体に気がついていない状態です。そして、そのような生き方をしていると何が起こるかと言いますと、人間が「ロボット化」してきます。

先ほど言われていたように、ただ「癖」によって、プログラミングされたかのような習慣的な行為を続けてしまうということでしょうか

そうですね。第3回の講義で、煩悩というのは、わかりやすく表現すれば「悪い癖」のようなものである、という話をいたしました。「癖」というのは、自分の意志で「そうしよう」と決めて、敢えて煩悩を起こしているわけではないからですね。実際、何かの対象について私たちが煩悩を抱く時に、それは私たちが自ら「そうしよう」と決断して、自分の意志にしたがって欲望を「浮かばせてい

る」わけではありませんよね。

欲望というのは、基本的には自分の心に勝手に湧いてくるものですね

ええ。「あれがしたい、これがしたい、それをやってみよう」といった欲望・衝動は、放っておいたら勝手に心の中に浮かんでくるものであって、それは基本的には私たちが自分の意志で「浮かばせる」ものではない。

ところが、そのことに意識を向けずにいるとどうなるかというと、私たちの多くは、そのように放っておいたら勝手に浮かんでくる煩悩を、「自分の意志」だと考えるようになってしまうわけです。つまり、欲望や衝動のことを、「これは私のものであり、これは私であって、これは私の我である」と捉えるようになるということですね。

なるほど。先行する諸条件にしたがって、勝手に表面化してくる心理的な現象にすぎない欲望や衝動のことを、「これが自分の意志なんだ。これが私なんだ」と思い込んでしまうということですね

そうです。縁生の現象にすぎない煩悩のことを、「私自身」だと思い込み、それにしたがって行為してしまう。「無我」と言うことでゴータマ・ブッダが伝えようとしたことの一つは、「そのような欲望や衝動は、単に縁によって、つまり原因や条件にしたがって心の中に生起してきているものにすぎないのであって、それを『あなた自身』だと思ってはいけませんよ」ということです。

そのように考えてしまうと、人間が「ロボット化」するということでしょうか

ええ。気づきを保たず、現在の自分の行為や心理に無自覚なままに振る舞ってしまうと、「ふと浮かんできた欲望や衝動」に、しかるべき原因や条件があることにも意識が向かずに、それをそのまま行動に移してしまう。つまり、縁によって生じた煩悩を、そのまま「自分自身」だと思い込んで、「私はこれがしたい」「これがしたいのが私だ」と考えて、その欲望や衝動の命ずるままに行為をしてしまうわけです。

その結果として、私たちは縁生の煩悩の言わば「奴隷」となってしまい、欲望や衝動に追い立てられながら、「次のおっぱいのために」「次の次のおっぱいのために」と、常に新しい刺激を求め続けて生きる存在になってしまう。

なんだか、「ロボット」というよりも、むしろゾンビの振る舞いみたいに感じられます（笑）

そうかもしれません。ただ、普通の人は全く逆に考えることが多いですね。例えば、ゴータマ・ブッダの仏教というのは、「欲望の対象を楽しみ、欲望の対象にふけり、欲望の対象を喜ぶ」という、「世の流れ」に逆らうことを教えるものだ、という話をいたしますと、「私はそんなゾンビみたいな生き方をするのは嫌だ」という反応を受けることが、実際にしばしばあります。

「欲望の対象を喜んで生きないこと」が、自分の「思いのまま」でない、「不自由」で「機械的」な生き方に見える、ということでしょうか

おそらくそういうことなんだろうと思います。もちろん、そういうふうに考え

るのは個人の自由です。ただ、仏教的な観点からすれば、それは全く逆さまの見方であって、つまりは「顛倒」であるということになる。と言いますのも、仏教の立場からすれば、これまで説明してきたように、縁によって生じた欲望や衝動にそのまましたがって行為することこそが、むしろ「不自由」な振る舞いであって、「己こそが己の主人」になっていない生き方である、ということになるからです。

欲望や衝動が縁によって生じた心理現象にすぎないことに気づけないままに、それが命ずることにただしたがってしまうのだとすれば、それはたしかに「自由」とは呼びにくいですね

ええ。ですから、先ほどまさに「ゾンビのようだ」と言っていただいたように、そうして気づきを保たずに欲望や衝動の命ずるままに行為することは、仏教的な観点からすれば、「死んでいるのと変わりがない」わけです。逆に、気づきを保って（マインドフルであって）自分の現在の行為や心理に自覚的であり続け、欲望や衝動の命ずることにただしたがってしまうことがなかったならば、その人はロボットやゾンビのような自動的な反応のサイクルからは脱却して、「己こそが己の主人」であるような生き方に、近づいていくことになるわけですね。

それはわかります。ただ、「欲望や衝動の命ずることに単純にはしたがわない」ということであれば、とくに瞑想などの実践をしていない人であっても、普通にやっていることのようにも思いますが……?

そうですね。たしかに私たちは、人によって程度の差はあるものの、欲望や衝動を自覚した上で、時にはそれに逆らうということを、日常において普通に行っています。ただ、このあたりは『自由への旅』などのウ・ジョーティカ師の著作にもしばしば語られていることですが、私たちが通常の認知において「自分の欲望や衝動」であると自覚できることというのは、その時点でかなり粗っぽいものであることが多いんですね。

「あらっぽいもの」、ですか

ええ。私たちが「あれがしたい」とか「これは嫌だ」とか、そのように明示的に自覚できる欲望は、定力を鍛えて、集中力を上げてからよくよく観察してみると、もっと微細な衝動のエネルギーが組み合わされて構成されている、粗大なものであることが多い。

戒を守って定を育て、そうして観察の瞑想（ウィパッサナー）を続けてみると、自分が「己の欲求」だと思い込んでいたことが、実はそのような小さな衝動の集合であり、そして、そのような小さな衝動が現れてくるのにも、きちんと原因や条件――例えば、幼いころのちょっとしたトラウマなど――が存在しているということが、まさに「現実であり事実である」こととして、理解されてくるということがあるわけです。

なるほど。自分が条件付けられた存在であるということを、微細なレベルに至るまでありありと「如実知見」して、そうすることで、無意識な反応の奴隷状態であることから脱却し、「己こそが己の主人」になりなさい、と教えるのが、ゴータマ・ブッダの仏教であるということですね基本的にはそういうことです。仏教はしばしば“the path to liberation”つまり「解放への道」と英語で言われることがありますが、瞑想者たちには、実際に自分でウィパッサナーをやってみて、条件付けられた己のありようを現実に観察し、そうすることで、「自分はこれまで、煩悩の奴隷になっていただけだった」「いまはじめて、本当に生きている感じがする」といった感想を口にする人たちが多くいます。「不放逸は不死の道。放逸は死の道」というのは、瞑想者たちにとっては、まさに実感そのものでもあるわけですね。

そのように、煩悩の奴隷状態であることから解放されて、己を己の主人として生きることが、「悟り」であると考えてよいのでしょうか

「悟り」というのは既に述べたように多義的な言葉ですから、そのように言うことも、一面では可能であると思います。ただ、ゴータマ・ブッダの言う解脱や涅槃ということには、もう少し深い「経験」の領域も関わっている。それが、「煩悩の流れを塞ぐ」智慧の問題ということになりますが、この点については、次回にお話しすることにいたしましょう。

第7回 「悟り」はあるかないか問題

連続講義も第7回目、ラストスパートです。よろしくお願いします。

よろしくお願いします！

So Buddhism is interesting

「智慧」とは何か

So Buddhism is interesting

前回の講義で、「気づき（マインドフルネス）の実践」について説明するために、『スッタニパータ』の第一〇三五偈を引用しましたね。そこでは、「世界における諸々の煩悩の流れを堰き止めるもの」が気づきであると言われていました。

なぜ気づきが煩悩の流れを「堰き止める」ことができるのかというと、心に浮かんでくる煩悩・貪欲に自覚的である（気づいておく）ことによって、無意識のままに対象への執著を強めて煩悩を再生産するという私たちの「悪い癖」を、とりあえず差し止めることができるからですね。

煩悩が心に「勝手に浮かんでくる」ことは止められないけど、とにかく煩悩が生起した時にはそれに「気づく」ようにしておけば、欲望の対象への執著をそれ以上に強めることは避けられる、ということですね

そういうことです。例えば、何かおっぱい的なものが目の前にあった時に、気づきを保って（マインドフルで）いたら、自分の心に貪欲が生じたことを自覚して、「煩悩の流れ」をその時点で「堰き止める」ことができる。しかし、気づきが欠けていて、貪欲を生じるままに放置していたら、認知されているおっぱい的なもの（欲望の対象）からの刺激を「歓喜して迎え入れる」ことで、「煩悩の流れ」はますます勢いを強めることになり、それがまた次の煩悩を生じさせる条件にもなってしまう、ということですね。

なるほど（笑）

ただ、そのように気づきによって、煩悩の再生産のサイクルにとりあえずストップをかけることはできるかもしれないけれども、それはあくまで流れを「堰き

止めた」ということであって、「煩悩の流れ」そのものが、気づきによって消滅してしまうわけではありません。ですから、『スッタニパータ』の偈に言われていたように、問題の根本的な解決のためには、その流れの源泉自体を、「智慧」によって塞いでしまう必要がある。ならば、その「智慧」というのは何であるのか。この点について、今日はお話しするわけです。

楽しみです！

So Buddhism is interesting

現代日本には、なぜ「悟る」人が少ないのか

So Buddhism is interesting

さて、今回のテーマは「『悟り』はあるかないか問題」ということになっていますが、このように「悟り」に鉤括弧をつける理由は、第5回の講義でお話ししましたね。

同じく「悟り」と言うのでも、ブッダの「悟り」と阿羅漢の「悟り」では内容が異なるし、仏教の各セクトのあいだでも「悟り」の捉え方には微妙な差異が見られるから、この言葉を一義的に使うことは難しい、ということでしたね

ええ。そのことを前提とした上で、とはいえ「悟り」という言葉は仏教の主なイメージとして人口に膾炙《かいしゃ》していますから、本講義では「経典のゴータマ・ブッダが説く解脱・涅槃」を基本的には指す用語として、カッコを付しつつ、適宜「悟り」という言葉も使っていく、ということを申しました。

そうでした

それで、この「悟り＝解脱・涅槃」については、仏教の勉強をはじめた人たちが多く疑問に思うだろうことが一つあります。それは何かと申しますと、いわゆる「初期経典」などを読む限りでは、仏弟子たちは、ゴータマ・ブッダの指導の下に、わりとポンポンと「悟って」いるように思われる。しかし、にもかかわらず現代日本には、「自分は悟った、解脱した」と宣言する人はほとんどいません

ね。これはなぜかということです。

たしかに、経典ではすごくたくさん出ているようである解脱者が、僧侶も瞑想の実践者もたくさんいるはずの現代日本で、ほとんど見られないのは不思議なことですね

ええ。なぜそうなってしまうかと言えば、その理由の一つには、日本人が一般に抱く「悟り」のイメージが、基本的には大乗仏教の説く「悟り」に近いものである、ということが挙げられると思います。歴史的には長いあいだ、そして現在でもかなりの程度、日本人にとって「仏教」と言えば大乗仏教のことでしたからね。

どういうことでしょう?

第3回の講義でお話ししましたが、いわゆる「小乗」仏教と大乗仏教では、仏弟子たちの基本的な目標が異なります。それは覚えていますか?

大乗の目標は成仏することで、いわゆる「小乗」の目標は阿羅漢になることでしたね

そのとおりです。いわゆる「小乗」の仏教では、全員が例外なく、というわけでは必ずしもありませんが、とりあえず原則としては渇愛を滅尽して阿羅漢となり、そうして自身を輪廻的生存の苦から解脱させることが仏弟子の基本的な目標となる。では、その阿羅漢と、仏の違いとは何だったでしょう？

仏には大悲と一切智が備わっていて、広く衆生を救済する能力がある、ということですよね

そのとおりです。つまり、仏の場合は阿羅漢とは異なって、単に自身の煩悩を除去して輪廻的生存の苦から解放されているだけではなくて、同時に一切智も有しているから、現象の世界の諸対象に関しても、細かいことまで全て知っている。ゆえに、衆生救済をする時でも、相手に合わせて適切な行動を常に誤ること

なく選択することができるわけです。即ち、仏（ブッダ）というのは涅槃に至った解脱者であるというだけではなくて、同時に衆生から見た人格としても完璧な存在であるとされている、ということですね。

ブッダというのは一切智を有して衆生を広く救済する存在として、その振る舞いには拙いところの全くない、何をやらせても完璧な人格者として把握されている、と

そういうことです。だからこそ、そういうスーパーマンになるためには、四阿僧祇百千劫とか三阿僧祇百劫とか、とにかくそのくらいの長大な修行を必要とするわけです。ただ、それでも日本人のあいだでは、「悟り」と言えばそのような意味での仏の「悟り」が無意識にイメージされますから、そこでうっかり「私は悟りました」などと言ってしまおうものなら、人々の期待するハードルが上がりすぎて、たいへん面倒なことになるわけですね。

なるほど。「お前はもう人格的に完璧な存在であるはずだから、俺から見て欲や怒

りだと感じられる言動はしないはずだし、社会的な振る舞いにおいてもミスは一つもしないよな！」と言われる、と

そういうことです（笑）。「悟った」人の振る舞いを、世の中の誰かが「欲」や「怒り」や「社会的なミス」だと感じれば、直ちに「やっぱり悟ってないじゃないか！」という非難が飛んでくることになる。

それはつらいですね（笑）

ええ。そんなわけで、日本社会で仏教者が「悟った」などと宣言してしまったら、人々からの様々な批判を受けるリスクを抱えることになる。それに、そうした状況の中で敢えて「最終解脱者」を自称したオウム真理教の麻原彰晃が、実際にはテロリストであったりもしましたからね。

ただでさえ仏教者が「悟った」と宣言することはほとんどない上に、さらにそこで「最終解脱者」を自称した人間が凶悪な殺人者であったということになれば、

まともな仏教者の中で「私は悟った」と言い出す方はほとんどいなくなりそうですね

教理的な側面から考えても、大乗仏教の原則からすれば、いま言ったような意味での「ブッダ」として今生で成仏するということには、問題があると考える人たちもいるでしょう。このあたりは、宗派によっても考え方の異なるところだとは思いますけどね。いずれにせよ、「まともな人であれば自分が悟ったなどという宣言はしないものだ」と考える仏教者の方は現代日本に多くいますし、一般にもそういう考え方は浸透しているように思いますね。

たしかに、「わしは悟った」などと言っている人がいたら、ちょっと怪しいんじゃないかとは感じてしまいますね

解脱は「人格の完成」ではない

So Buddhism is interesting

そうですね。ですから、修行を積まれて一定の境地に達していると思われる僧侶の方でも、「私などはまだまだ道半ばです」と言われることが多いですし、私も一人の日本人として、それを美しく健全な態度だと感じます。ただ、ここで申し上げたいのは、いわゆる「初期経典」から知られるゴータマ・ブッダの仏教において、「悟り＝解脱・涅槃」というのは、そういうものではなかった、ということなんです。

「そういうものではなかった」というのは、どういうことですか？

経典から知られる「解脱・涅槃」の性質は、現代日本においてイメージされているような「悟り」とは、ずいぶん性質の異なるものであったということです。

例えば、阿羅漢として解脱を達成するということは、凡夫の立場から見た「人格的な完成」とは、必ずしも重ならないことがあります。

ブッダとして一切智を獲得し、一般の衆生の目から見ても完璧な存在になるという仏の「悟り」とは異なって、とりあえず自己の煩悩を滅尽して解脱した阿羅漢の「悟り」というのは、一般的な意味での「人格的な完成」とは必ずしもイコールにならない場合がある、ということでしょうか

はい。この点については『仏教思想のゼロポイント』で取り扱っていますので、詳しくはそちらを読んでいただきたいのですが、いずれにせよ原理的にはさほどに複雑な話でもありません。と言いますのは、凡夫（悟っていないパンピー）の考える「人格的な完成」、その基準となっている「善悪」の価値判断というのは、第5回の講義で説明したような意味での、「世界（ローカ）」に基づいたものですよね。

「凡夫による欲望を伴った六根六境の認知」によって成立するのが「世界」でした

ね

ええ。欲望を伴ったイメージの集合であり、比喩的に言い換えれば「物語」とも表現し得るのが、ゴータマ・ブッダの語っている「世界」でした。そして、そのような意味での「世界」内の存在として、凡夫は己の抱く欲望の物語に沿う形で、「善悪」の価値判断を行っている。

欲望を伴ったイメージの集合が凡夫にとっての「事実的世界」を形成しているのだから、そこにおける彼らの「善悪」の価値判断も、当然「欲望の物語」の枠組みの中で行われることになりますね

そうです。そして、凡夫の目から見て「人格的に完璧」であるということは、そのような欲望の物語の中で流動する「善悪」の基準に照らして高い評価を受ける、ということですから、これは「世界」から解脱しようとする出家修行者たちの目指すものとは、少なからず異なってくることになります。

なるほど

例えば『ダンマパダ』の第三九偈には、

心が煩悩に汚されず、思いが乱れず、善も悪も捨て去って、目覚めている人にとっては、恐れるものは存在しない。

と説かれています。ここで言われている「善も悪も捨て去って」というのは、そういうことですね。「善」というのも「悪」というのも、パンピーの考えるそれは、あくまで欲望の物語に基づいた流動する価値判断であるにすぎない。ゴータマ・ブッダの教説にしたがって解脱を達成した修行者は、そのような「物語の世界」に繋縛された価値基準を捨て去っているということです。

第1回の講義で指摘されていたように、「異性とは目も合わせないニート」として生きている阿羅漢のことを、「人格的な完成者」であると考える現代日本人は少ないかもしれませんし、その意味では、世俗の「善悪」とか「人格者」とかいった

判断基準と、ゴータマ・ブッダの仏教が指し示す生き方とは、少なからず乖離しているのかもしれませんね

ええ。ただ、誤解していただきたくないのは、だからといってゴータマ・ブッダの教説にしたがう人たちが、世俗的な意味での「悪」を平気で行うわけではない、ということです。仏教には同時に戒律がきちんとありますから、それを正しく守っている限り、仏教者の行為が世俗的な意味での「悪」になることは、基本的にありません。

たしかに、前回の講義で言われていた五戒などでも、それを本当に守っていれば、その人は「悪人」にはならなそうですね

はい。当たり前のことですが、解脱者は「善」だけではなくて「悪」も同時に捨て去るわけですから、敢えて「悪」を行うような人は、まだまだ欲望の物語の引力圏の中で生きている、ということになるわけです。

しかし、世俗的な意味での「善も悪も捨て去って」いるということは、本人にはそのつもりがなくても、一般人から見たら「悪」に見える行為をしてしまう、ということも起こり得るのではありませんか？

そうですね。だからこそ、仏教において戒律というのは、法の教説と同じくらい大切なものであるとされているわけです。本講義で示しているようなゴータマ・ブッダの仏教の性質について話をすると、しばしば仏教は本質的に「反社会」的なものなのではないかと、誤解する方もいらっしゃいます。しかし、ゴータマ・ブッダの仏教は、本来的には「反社会」ではなくて「脱社会」的なものなんです。

どういうことでしょう？

言い換えれば、「世界」の枠組みの内部において、その「世界」に反抗することを目指すのではなくて、そもそもその「世界」を超出してしまおうとする性質のものであるということです。ですから、世俗の社会に対しても、労働と生殖を放棄することで、そこで当然視されている文脈から超出しようとはするけれども、別に社会と喧嘩するつもりはない。社会と対立するということは、逆の形で「社会に巻き込まれている」ことに他なりませんからね。

同様に、「善も悪も捨て去る」ということは、世俗の「善悪」の基準を否定するということではなくて、そこから超出し、自由であるということです。超出はしているけれども、決して否定しているわけではないから、世俗の人々と関わる際に、彼らが求める「善悪」の基準に沿って振る舞うことは、仏教者として全く問題のない行為であることになりますし、またそうしておいたほうが、一般社会との余計な対立も招かずに済みますから、修行生活を続ける上でも、たいへん有益だということになるわけです。

なるほど。「善も悪も捨て去る」ということは、「善を行い悪を避ける」ことをしてはならないという意味ではないし、むしろ「善い人」であることは、本人の修行と周囲の幸福のためにも有益である。そして、社会的に「善人」とみなされるための行動規範であれば、仏教の場合は戒律にきちんと定められているから、それを正しく守っている限り、仏教者が「悪人」になることはない、ということで

すね

基本的には、そのように考えていただいても構いません。もちろん、より仔細に検討すべき問題点は他にもありますが、それについては『仏教思想のゼロポイント』や、そこに示されている参考文献のほうをご参照いただければと思います。

わかりました！

So Buddhism is interesting

決定的で明白な実存の転換

So Buddhism is interesting

そして、現代日本においてイメージされる「悟り」の内容と、経典のゴータマ・ブッダが語る「解脱・涅槃」が異なっているもう一つの点は、後者が「ある特定の時点において起こる、決定的で明白な実存の転換」であるということです。

「決定的で明白な実存の転換」ですか

はい。先ほど申し上げたように、現代日本では「まともな人であれば自分が悟ったなどとは言わないものだ」という風潮が強くありますし、多くの仏教者の方は「私などまだまだ道半ばです」とおっしゃいます。また、ある時点で何か決定的な経験をして、それを行道の一つの「到達点」だと考えることにも、批判的な態度を維持される方は多いですね。

「体験主義に陥ってはいけない」などと言われることはよくありますね

そうですね。もちろん、これはそれ自体としては一つの立派な仏教に対する態度ですから、私にはそれを批判するつもりは全くありません。ただ、ここで私が申し上げたいのは、いわゆる「初期経典」による限り、ゴータマ・ブッダの説く「解脱・涅槃」は、「ある特定の時点において起こる、決定的で明白な実存の転換」であると考えられる、ということです。

つまり、どういうことでしょうか？

そうですね。とりあえず、経典の記述から例を一つ引きましょう。相応部の「蘊相応（カンダ・サンユッタ）」第五九経からの引用です。

> 比丘たちよ、私の教えをよく聞いた聖なる弟子は、そのように見て、色において厭離《おんり》し、受において厭離し、想において厭離し、行において厭離し、識において厭離する。厭離して彼は離貪《りとん》する。離貪して彼は解脱する。解脱した際には「解脱した」との智が生ずる。そして彼は、「生は尽き、梵行は完成し、為されるべきことは為され、もはやこの迷いの生の状態に至ることはない」と知るのである。

前半に書いてあるのは、既にこれまでの講義で説明してきたことです。「そのように見て」というのは、認知の構成要素である五蘊のそれぞれについて、それらが無常・苦・無我であることを見て、ということですね。そのような観察を経ることで、五蘊を厭離(厭い離れる)し離貪(貪りから離れる)して、それで解脱に至るということです。

第2回の講義で説明されていたような、「無常・苦・無我という現象の三相を観察することによって、それらを厭離し離貪して解脱に至る」という、ゴータマ・ブッダの仏教の基本教理ですね

はい。そして、いまの文脈で重要なのはその次ですね。「解脱した際には『解脱した』との智が生ずる」と書いてある。つまり、解脱に際しては「私は解脱した」という自覚を伴うということで、これを仏教用語で「解脱知見」と言っています。そして、解脱した人は「生は尽き、梵行は完成し、為されるべきことは為され、もはやこの迷いの生の状態に至ることはない」と知るとされている。「厭離して彼は離貪する」以下の文言は、経典を読んでいると嫌というほど目にすることになる定型句ですね。

解脱した際には「私は解脱した」という自覚があり、そこで本人は「為されるべきことは為され」て、「もはやこの迷いの生の状態に至ることはない」と知るのだから、それは「決定的で明白な実存の転換」に他ならない、ということでしょうか

基本的にはそういうことですね。「為されるべきことは為された（katam karaṇīyam）」というのは、仏教の求道の過程において修行者が為すべきことを為し終えた、ということですから、これは明らかにゴータマ・ブッダの仏弟子としての目標に、本人が決定的に到達した（という自覚をもった）ということを意味する。だから仏教では阿羅漢のことを、「もう修学すべきことが残っていない」という意味で、「無学」と呼んでいるわけです。

「無学」の意味が、「学が無い」という一般のそれとは逆なんですね

ええ。そして、「生は尽き」、「もはやこの迷いの生の状態に至ることはない」とも言われている。これはどういうことかと言いますと、つまりは解脱すること

によって、「自分はもう輪廻することはない」という確信が、本人に生じるということです。

「自分自身が、これまでとは別の存在になった」と確信できるということですね

まさにそのとおりです。それまでは渇愛が残っていて輪廻する状態だったのが、その渇愛を滅尽し、「梵行（出家者の送る清らかで禁欲を守った生活）が完成」して、もはや自分は輪廻的生存状態に戻ることはないという確信を得た。つまり、解脱に至ることによって、その修行者は、自身のあり方が現実に転換し、それによって輪廻転生するという己の未来が実際に変わったという認識をしたということです。

解脱の際には、「輪廻的生存状態にある」という、それまでの自身のあり方が明らかに変化したことを認識するのだから、そこで本人に自覚されているのは、「決定的で明白な実存の転換」である、ということでしょうか

そういうことです。ですから、それは一般に言われる「知識を得る」とか「考え方を変える」ということのイメージとは、少なからず距離がありますね。仏教において「解脱知見」が生じるということは、智慧を得た本人のあり方が現実に転換して、それが彼の未来に実際の大きな変化をもたらすということですから。

「知識を得て考え方を変える」ことで多少なりとも人間が変わるということは、現代日本でも普通に想定され得ますが、たしかにそこまでの根底的な影響が本人に及ぶことは、一般的には考えないかもしれませんね

はい。ここでの大切なポイントは、少なくとも本人は、その自覚を明確にもつ、ということですね。解脱の際には、そのくらいの決定的な経験が本人に生じているということです。

「為されるべきことは為された」と自覚して、「修行の完成」を明確に知ることのできるような経験が、解脱の際にはきちんと起こる、ということですね

少なくとも「初期経典」の記述による限りではそう考えられます。ですから、経典から知られる「ゴータマ・ブッダの教説」にしたがう限りでは、仏教の行道というのは、いつまでも「道半ばです」と言い続けるようなものではなくて、きちんと自覚できる「目標の達成地点」が、存在するものなんですね。

経典のゴータマ・ブッダが説くところによれば、「ここがゴールだ」と自ら知ることのできる、「修行の完成地点」が存在しているということでしょうか

ええ。ただ、日本の仏教者の方がそういうところをあまり強調されない傾向があるのは、既に申し上げたとおり日本の仏教はほとんどが大乗仏教ですから、そこで語られている「悟り」というのは基本的には「成仏」のことであって、阿羅漢の解脱ではない、ということが、一つの理由として挙げられるでしょう。

そもそも問題にしている「悟り」の内容自体が異なっている、ということですね

はい。また、「八宗の祖師」と呼ばれ、大乗仏教の教理の基礎を築いた龍樹の示している仏教観・涅槃観の影響も大きいと思いますが、それについて話しはじめると「入門書」の範囲を大きく超えそうですから、ここで述べるのはやめておきましょう。

わかりました！

いずれにせよ、申し上げておきたいのは、このような「悟り」に関する様々なセクトや個々の仏教者による態度の相違は、基本的には単に「違い」であるにすぎないのであって、そこに「優劣」の価値判断をもち込むことには、少なくとも私自身は慎重でありたいと思う、ということです。

「初期経典のゴータマ・ブッダの教説」だから「正しくて優れている」と直ちに考えることは、少なくとも魚川さんはしない、ということですね

ええ。「違い」が生じたことにはそれなりの歴史的な必然性があり、そのように異なった様々な考え方が、それでも多くの人々に支持されて現代まで伝わって

いるのは、そこに思想的な価値があったからです。

ですから、大切なのは現状を否定するためであれ肯定するためであれ、テクストの記述や現実の仏教のありようを歪曲して理解しないこと。そして、事実をまずは真摯に受け入れたならば、次は「なぜ現状がそうなっているのか」について、丁寧に検討しなおしてみることです。そうした作業を経た上で、「このセクトの考え方が自分はいちばん優れていると思う」と価値判断することは、もちろん悪いことではないと思います。

なるほど。「選択」をする上でも、事実の確認と現状の分析は大切であると

はい。もちろん、こんなことは私が言うまでもなく当然のことであると思いますけどね。

So Buddhism is interesting

解脱するのは難しい

では、気づきと智慧の話に戻りますが、経典のゴータマ・ブッダが語る解脱・涅槃が、そのような「決定的で明白な実存の転換」であるとすると、それは「ただ気づきのみ」で完結する話では必ずしもなくなってくる。

気づきは煩悩の流れを「堰き止める」ことはできても「塞ぐ」ことはできないという、今回の冒頭のお話のことでしょうか

そうですね。例えば、六世紀の中国に僧璨《そうさん》という禅僧がいまして、禅宗第三祖と言われる人なのですが、その著作である『信心銘』の冒頭に、次のような有名な言葉があります。

So Buddhism is interesting

至道は無難、唯《た》だ揀択《けんじゃく》を嫌う、但《た》だ憎愛なくんば、洞然として明白なり

ざっと訳せば、「最高の道なんて難しいものじゃない。ただよくないのは選り好みだ。あれが好い、これが嫌だというのをやめさえすれば、実にはっきりしたものさ」といったところでしょうか。「至道」というのは、仏教における究極・最高の道ですね。「憎愛」というのはわかりますか？

「憎んだり愛したりする」ことだから、要するに嫌悪したり執著したりすることでしょうか

そうですね。仏教においては、貪欲《とんよく》・瞋恚《しんい》・愚痴《ぐち》（貪瞋痴《とんじんち》）というのが「三毒《さんどく》」と呼ばれて、煩悩の根本的なものであるとされています。貪欲というのは好ましい対象に執著する心のことであり、瞋恚というのはその反対で、好ましくない対象を嫌悪する心のこと。そして、愚痴というのは根源的な無知であって、ものごとをありのまま（如実）に知見できないことです。「憎愛」というのは、この瞋恚と貪欲に相当しますね。

対象を嫌だと憎む心（瞋恚）と、対象を欲する愛着の心（貪欲）を、まとめて「憎愛」と言っているんですね

ええ。そのように、「あれが好い、これが嫌だ」と選り好みすることをやめさえすれば、仏教の説く究極の境地は、実にはっきりと見えてくる、ということを僧璨は言っているわけです。これ自体は、ゴータマ・ブッダの教説の基本的な方向に、しっかりと沿った主張だと思いますね。

対象を好んだり嫌ったりして、それに執著するのが煩悩の基本的な性質ですから、それをやめればいいというのは、たしかにゴータマ・ブッダの主張どおりですね

はい。禅というのは中国化された仏教として、ゴータマ・ブッダの仏教とはかなり性質の異なるものであると言われることもありますし、実際に相違点も多いのですが、同時に他の大乗諸派よりも、ゴータマ・ブッダの仏教に近いことを言

っている部分も多くあります。先ほど申し上げたような「決定的で明白な実存の転換」として「悟り」を捉える思想傾向も、禅の一部には見られるように思いますしね。

なるほど

ただ、僧璨は「至道は無難」と最初に宣言した後に、「但だ憎愛なくんば、洞然として明白なり」と述べている。つまり、「あれが好いとか、これが嫌だというのをやめさえすればよいのだから、とくに難しいことはありません」と言っているわけです。この点については、同意できますか?

いや、それは難しいんじゃないでしょうか……

そうですよね。実際問題としては、とても難しいことですよね。

簡単ではないと思いますね

ええ。これはまさにいつもの「おっぱい問題」であって、「憎愛」がなくなるということは、目の前におっぱいが出てきた時に、「ああ、これは単なる脂肪の塊だな。目に入ってくる色の組み合わせにすぎないんだな」と、「ありのまま」の現象を、欲望を伴うことなく認知できるということですから、これはなかなか達成の難しいことです。

「とりあえずそう考えよう」と決心することはできても、現実問題として私たちが「おっぱい」を認知して欲望を抱いてしまっているという、その事実のほうは変わらないですからね

はい。だから、僧璨が言うとおり、理屈としては何も難しいことはないんです。「対象を選り好みして、それを好んだり嫌ったりすることをやめればいい。ただそれだけで、仏教の究極の境地は明白にわかる」というのは、それ自体としては何も間違っていない。とはいえ、解脱を目指す凡夫にとっての問題は、「正しい筋道を頭で理解したからといって、それで凡夫にとっては現実そのものであ

る『事実的世界』が、直ちに滅尽するわけではない」ということです。

前回の講義でも言われていた、「勉強だけでは『世界』は変えられない」ということですね

そうです。もちろん仏教において理論は実践と同じく大切ですが、正しい理屈や筋道を聞き知っただけで、直ちに凡夫にとっての「事実的世界」が変わるわけではない。表現を換えて言えば、渇愛を滅尽して「世界」を終わらせ、現象を「如実知見」するに至るまで、凡夫には根源的無知（無明）が存在し続けているし、そのように「現象のありのままを知らない（＝仏法における真理を知らない）」という意味での無知のことを、根源的な煩悩の一つとして、「愚痴」とも呼んでいるわけです。

なるほど。そうした意味での「根源的無知」の滅尽には、気づきのみでは至ることができない、ということですか？

もちろん、前回お話ししたとおり、『念処経』の記述にしたがえば、気づきの実践は涅槃を実現する「唯一の道」です。ただ、気づきがそれ自体として涅槃とイコールであるということには、必ずしもならないということ。何度も申し上げているように、気づきというのは「煩悩の流れ」を「堰き止めて」、執著によって形成される「欲望の物語」の進行にストップをかけてはくれますけど、それが煩悩の流れの源泉自体を、「塞いで」くれるわけではありませんから。

――「煩悩の流れ」は、気づきによって堰き止めても、次々と湧いてきてしまうわけですね

ええ。第3回の講義でもお話ししたように仏教の前提として、煩悩というのは衆生が過去無量の時のあいだに積み重ねた業の結果として現在に生じているものですから、実質的には無限のリソースをもっているわけです。だから、気づきによって「煩悩の流れ」を「堰き止め」続けることによって、その勢いを弱めることであればできるかもしれないけれども、それによって業の蓄積自体を「なかったこと」にすることはできませんから、やはり問題の根本的な解決にはならない

わけです。

そうですね

しかし、既に述べたように、経典のゴータマ・ブッダは、そのような修行の過程には終わりというか、「完成」するポイントがきちんとあるのだと言っている。「決定的で明白な実存の転換」が修行者に起こって、本人がそれを自覚するという事態が、仏教の実践者には生じることがあるのだ、と言うわけです。

「解脱知見」が修行者に生じるというのは、そういうことですからね

So Buddhism is interesting

「ただ気づき続けている」という以外のこと

So Buddhism is interesting

はい。そして、そのような「決定的で明白な実存の転換」が起きて、修行者が

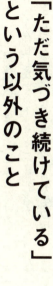

「為されるべきことは為された」と自覚するためには、「ただ気づき続けている」という以外に、何か別のものが必要です。つまり、単に内外の現象を観察して、その無常・苦・無我という性質を認識し続けるというプロセス自体には明確な「終わり」が存在しない以上、そこで修行者が「生は尽き、梵行は完成し、為されるべきことは為され、もはやこの迷いの生の状態に至ることはない」と知るためには、何か他の決定的な経験が、ある特定の時点において、本人に生じていなければならないということですね。

無常・苦・無我の現象に気づき続けるという実践自体には、業に無限のリソースがある以上、「ここで終わり」ということは起こり得ない。ゆえに、実践者が「為されるべきことは為された」と言って、修行の「完成」を自覚するためには、「ただ気づき続けている」というプロセスの中の現象とは異質の、何かしらの別の経験が必要であるということでしょうか

そういうことです。では、ここでゴータマ・ブッダの仏教における解脱というのが、実際にそのような性質のものであることを示す、二つの例を挙げてみよう

と思います。まずは、有名な仏弟子のアーナンダさんが阿羅漢になった時のエピソードですね。

アーナンダさんというのは、ゴータマ・ブッダの侍者として仕えて、「多聞第一」と呼ばれるほどに、ブッダの説法をよく記憶していた人でしたよね

そうです。彼はゴータマ・ブッダの侍者を二十五年間もやっていて、ブッダが説法したことは全て覚えているという、とんでもない記憶力の持ち主だったとされています。だから、仏教の経典というのは基本的にそのアーナンダさんの記憶を元に語られていることになっていて、「如是我聞（かくのごとく、我聞けり）」という経典冒頭の決まり文句における「我」というのは、語り手としてのアーナンダさんのことを指しています。そのことは、第3回の講義でもお話ししましたね。

はい

ところが、このアーナンダさんという人は、そんなにゴータマ・ブッダの教説についてはよく知っていたのに、にもかかわらずブッダが生きているあいだには阿羅漢になることができなかった、ということでも有名な人です。つまり、ゴータマ・ブッダが亡くなる前に、師匠に完全に解脱した姿を見せることはできなかったわけですね。

仏教の知識については誰よりも詳しかったのに、それでも阿羅漢になることはできなかったと

ええ。ただ、死ぬまで駄目だったわけではないんです。彼はゴータマ・ブッダが亡くなった後、比丘たちが集まって、師の教えを確認した第一結集《けつじゅう》という会議の前夜に、きちんと阿羅漢になっています。アーナンダさんは、その第一結集に出たかったのだけど、自分はまだ阿羅漢ではないから、そこに参加するのはふさわしくないと考えた。だから、ちょっとここはマジで悟っておこうということで、結集の前夜に頑張って修行をしたわけです。

前夜にですか（笑）

なんだか試験前の一夜漬けみたいな感じもしますが、まあそこは突っ込まないでおきましょう。とにかく、結集の前夜に本気を出したアーナンダさんは、そこで何をしたかと言うと、徹夜で身体への気づきの実践を行った。

それで解脱できたんでしょうか

いえ、駄目だったんです。一晩中、明け方になるまで気づきの実践を行っても、アーナンダさんは解脱に達することができなかった。それで、仕方がないから彼はとりあえず横になろうとしたんですね。ところが、その横になろうとした瞬間、「頭が枕に達せず、足が地を離れない」あいだに、アーナンダさんの心は煩悩を離れて解脱したと、テクストには記されています。

アーナンダさんは瞬間的に「決定的で明白な実存の転換」を経験した、ということでしょうか」

そういうことです。これは非常に有名なエピソードで、上座部圏の説法では、しばしば参照されることがありますね。徹夜の修行に疲れて身体を横たえようとしたその瞬間に、アーナンダさんに何かが起こって、その時点で彼の心は煩悩から離れて解脱した。つまり、それまでにずっと行い続けていた気づきの実践によって普通に起こることとは別の何かが彼に起こり、それがアーナンダさんを解脱させたのだということです。

なるほど。たしかに、この例におけるアーナンダさんの「悟り」は、「ある特定の時点において起こる、決定的で明白な実存の転換」そのものですね」

ええ。そして、次の例でもその構造は同じです。シーハー比丘尼という女性が、解脱した時のエピソードですね。

「比丘」が男性の出家者で、「比丘尼」というのは女性出家者のことでしたね」

はい。そのシーハーさんも、もちろん阿羅漢として完全な解脱をするために出家したわけですが、残念ながら欲情に悩まされてなかなか心の平静を得ることができずに、七年間もさまよっていた。当時のインドで女性が出家者として遊行生活を送るというのは大変なことですから、おそらく苦労も努力もずいぶんしたに違いありませんが、それでも「悟り」に至ることはできなかったわけです。

目標のために七年間も努力して、それでも上手くいかないというのは、つらいですね

ええ。ですからシーハー比丘尼は絶望してしまいまして、「こんなふうに解脱できないまま生きていくくらいなら、もう死んだほうがましだ」と考えた。それで、縄を手にして林の中に入って行って、首吊りをしようとしたんですね。ところが、そうして自殺の準備を整えて、縄を首にかけた瞬間に、彼女の心は解脱した。

へぇえ！

アーナンダさんの例でも同様ですが、このように、高度な緊張と絶望を経て、それがふと緩んだ瞬間に決定的な経験をするということは、禅の実践者などのあいだでも、しばしば語られることがありますね。

そうなんですか

はい。もちろん、禅における「悟り」の性質が全てそのようなものだ、というわけではありませんけどね。ただ、アーナンダさんの例にしてもシーハーさんの例にしても、そこでまず注目していただきたいのは、両者ともに仏教の教理を勉強したり考えたりして、それで「悟って」いるわけではない、ということです。

アーナンダさんは、教理の知識なら完璧だったはずだし、シーハー比丘尼にしても、七年のあいだにゴータマ・ブッダの仏教の基本的な教理であれば、学んでい

ないはずはありませんからね

ええ。アーナンダさんのように、ゴータマ・ブッダの説法なら全て覚えているような人でも、その知識だけでは解脱できなかった。シーハー比丘尼も、縁起や無常といった教理について考えることなら七年間の修行生活の中で散々やっていたはずで、それを首吊りの瞬間だけ、特別に「よく考えた」ということはないでしょう。

それはそうでしょうね

そして、もう一つ重要なことは、アーナンダさんの例にはとくによく表れていることですが、気づきの実践は解脱に至るための契機にはなっているけれども、それ自体が「悟り」そのものではなさそうだ、ということです。

アーナンダさんも、そしておそらくはシーハーさんも、「悟り」の直前まで気づきの実践をやっていたものの、それ自体によって「為されるべきことは為された」と自覚して、解脱するには至らなかった。むしろ、(ここは微妙なところですが）そのような気づきの実践に対する意志的な努力を手放した瞬間に、彼らは決定的な経験をして、そこで解脱に達していますよね。

たしかに、気づきの実践であればそれまでにずっと続けていたと思われるのに、それで得られなかった解脱が、修行に疲れて横になろうとした瞬間や、絶望して首を吊ろうとした瞬間に達成されたということは、そこで気づきの実践によって普通に得られるのとは別種の何かしらの経験が彼らに生じて、それによって解脱したことを示しているように思われますね

そうです。教理に関する知識をいくら蓄積しても、気づきの実践を続けて無常・苦・無我の現象をいくら観察し続けても、それでも彼らの渇愛が現実に滅尽して、彼らにとっての「世界」が事実として終わるということはなかった。『テーリーガーター』の第七八偈には、

煩悩に纏い付かれ、綺麗なもののイメージが頭から離れず、貪りの心に支配されていて、心の平静を得ることができなかった。

というシーハー比丘尼の述懐が記録されています。まさにそのように仏教の教理をどれだけ頭で理解していても、それでも彼女の心に事実として煩悩が纏い付いているという現実自体は、どうにもすることができなかったわけです。

教理の知識によっても、気づきの実践によってももたらされなかった「決定的で明白な実存の転換」、即ち、渇愛と「世界」の滅尽の自覚ということが、その特定の時点に何かしらの別の経験をしたことによって、彼らにもたらされたものと思われる、ということですね

はい。ただ、誤解をしないでいただきたいのですが、教理の知識と気づきの実践が解脱とは関係ない、と言いたいわけでは全くありません。例に挙げた二人は、意志的な努力を手放した瞬間に決定的な経験をしているように見えますが、だからといって私たちが「わざと」知識や実践を手放してみても、それで解脱できるわけではおそらくありませんからね。

解脱をもたらす「智慧」というのは、教理の知識や気づきの実践と完全に同じものではないけれども、それらを契機として生じてくるものではある、ということでしょうか

そうですね。教理の知識や気づきの実践は、解脱を導く条件にはなっているけれども、それらは解脱そのものではない。「理性」や「意志」によって「おっぱい」が「おっぱい」でなくなるわけではないように、解脱をもたらす「智慧」というのも、前記の二人の例から考えれば、「理性」や「意志」そのものではなくて、むしろその操作範囲外の出来事として修行者に生じるものです。ただ、それが生じるためには、教理の知識や気づきの実践を突き詰めることが、やはり必要とされているように思われる、ということですね。

So Buddhism is interesting

世間と涅槃の「二元論」

So Buddhism is interesting

なるほど。では、その「智慧」が生じる瞬間には、何が起こっているのでしょうか？

これはセクトごとにも考え方の相違があるところですし、そもそも言語表現を超えた事態だと捉えられるのが常ですから、確定的なことを言うのは不可能です。ただ、とくにテーラワーダの場合について言えば、彼らはそれを、不生不滅である無為の涅槃という対象を、心が認識する経験であると考えています。

「無為」というのは、形成されておらず、したがって条件付けられていないという意味でしたね

ええ。パーリ語によるいちばんシンプルな心の定義は、「対象を思念するのが心である（ārammaṇaṃ cintetīti cittaṃ）」ということで、つまり心（チッタ）というのは常に対象をとるものであるとされているんですね。だから、解脱の際にも心は涅槃という対象を認識しているのだ、ということになるわけです。

ただ、ご指摘のとおり無為というのは条件付けられていない、不生不滅の境域

であって、生成消滅する現象とは全く秩序の異なるものですから、それを「認識」したり「経験」したりするということがどういうことであるのかということは、それ以上に言葉で説明することが難しい。ですから、個人的にはこれは解脱という事態を仏教のセクトが表現する一つの仕方であると考えて、あまりこれだけを「正しい」とは考えないほうがよいと思いますね。

「心が涅槃という対象を認識する」というのは、あくまで「解脱のテーラワーダによる一つの表現」であるということですね

はい。ただ、生成消滅する現象の「寂滅」した、不生不滅の無為の境域を涅槃であると考えること。即ち、有為の「世間」とは全く秩序の異なるものとしての「出世間」に至ることを解脱であると考えることは、少なくともゴータマ・ブッダの仏教の理解としては、整合的なものであると私は考えます。

日本の仏教書では、あまりそういう解釈を見かけることはありませんね

そうですね。日本人は、先ほどふれた龍樹の仏教観・涅槃観の影響もあると思いますが、このような「二元論的」な「悟り」や涅槃の理解を嫌う傾向がありますす。だから、日本において「悟り」が問題になる時には、この種の解釈は「涅槃の実体視」などといったレッテルを貼られて、単なるテーラワーダのバイアスとして斥けられることが多いですね。

「涅槃の実体視」というのは、どういうことですか？

縁起の法則にしたがって生成消滅する諸現象によって構成される、有為の「世間（世界、ローカ）」とは区別されるものとして、不生不滅であり無為である「出世間（ロークッタラ）」を考えた上で、涅槃に至るとは後者を覚知することだと考えるのが、「実体視」に当たるということです。

涅槃や出世間というものが、眼前の生成消滅する世間とは区別される形で「ある」と考えているように見えるから、それは「実体視」だということでしょうかそういうことです。日本では一般に、世間と出世間、あるいは輪廻と涅槃を峻別する右のような解釈は、あまり好まれない傾向がありますね（ただ、この点にはより複雑な事情が介在していますから、この「涅槃の実体視」という表現の問題性については、『仏教思想のゼロポイント』で詳しく扱うこととして、本講義ではこれ以上ふれないことにします）。

なるほど。しかし、魚川さんとしては、そのような「二元論的」な解釈のほうが、ゴータマ・ブッダの仏教の理解としては整合的であると考えるわけですね

はい。そう考える理由はいくつかあるのですが、一つには、経典のゴータマ・ブッダ自身がそのような不生であり無為である境域への言及をしている、ということがあります。その実例を、『ウダーナ（自説経）』から引用しましょう。たいへん有名な箇所です。

比丘たちよ、生ぜず、成らず、形成されず、条件付けられていないものが存在する。比丘たちよ、この、生ぜず、成らず、形成されず、条件付けられて

いないものが存在しなかったならば、この世において、生じ、成り、形成され、条件付けられたものを出離することはないであろう。比丘たちよ、生ぜず、成らず、形成されず、条件付けられていないものが存在するからこそ、生じ、成り、形成され、条件付けられたものを出離することが知られるのである。

ここはゴータマ・ブッダが涅槃について語っている箇所です。同じテクストの少し前の部分では、同じく涅槃について、地水火風の要素もなく、この世界でも他の世界でもないような領域が存在し、そこには死も再生も存在しなくて、それこそが苦の終わりであるとも言われています。

たしかに、この箇所では不生であり無為であるもの（としての涅槃）の存在を明示した上で、それがあるからこそ解脱が可能なのだ、と言っているように読めますね

ええ。「生ぜず、成らず、形成されず、条件付けられていない」と言う以上、

それは縁起の法則にしたがって生成消滅を繰り返す現象とは全く秩序を異にするところの、不生であり無為である寂滅境でなければならないわけです。不生である以上それは不滅であり、ゆえにそこには死も再生も存在しない。そのような「この世界でも他の世界でもないような領域」、つまりは「世界（世間、ローカ）」という枠組み自体を超越した「出世間（ロークッタラ）」という領域が存在しているからこそ、私たちは条件付けられた有為の現象から出離して、「苦の終わり（anto dukkhassa）」に到達することができるのだと、ゴータマ・ブッダは言っているわけですね。

なるほど。有為の「世間」からは区別される、無為の「出世間」の領域がきちんと存在しているからこそ、生成消滅を繰り返す苦なる輪廻の世界から、私たちは「解脱」することができるのだ、ということですね

聖者として「苦」を知ること

そうです。では、そのような不生であり無為である涅槃の境域を覚知することによって、なぜ修行者は解脱に至るのか。実践の文脈から答えを出すとすれば、それは有為であって生成消滅を繰り返す縁生の現象以外のものを、その際に本人がはじめて知ることになるからです。

どういうことでしょう？

既に申し上げたように、気づきの実践というのは、生成消滅する内外の現象を観察して、そこに無常・苦・無我という三相の性質があることを如実に知見する修行ですね。それ自体は、戒を守って生活を整え、その上で定を修して集中力を高めれば、達成の不可能なことではありません。しかし、いくら現象をよく観察

So Buddhism is interesting

して、それが無常・苦・無我だということを知ったとしても、それ以外のものが存在することを知らなければ、私たちは縁生の現象への執著を最終的に根絶することはできません。

およそ現象というものは全て無常・苦・無我という性質をもつものだ、ということがわかっても、「それ以外のもの」の存在を知らなければ、他に選択肢がない以上、私たちは縁生の現象に執著することをやめられない、ということでしょうか

そういうことです。だって、他のものを知らないんだから。縁生の現象を観察し続けて、それが無常・苦・無我だということがわかっても、それ以外のものを知らなければ、いくら「こんなものに執著しても無駄なんだ」と自分に言い聞かせてみたところで、「でも俺にはこれしかないんだから、この中で楽しんで生きていくしかないんじゃね？」という、欲望含みの疑念からは逃れることができませんよね。

そうですね。そうなってしまうでしょうね

だから、「縁生の現象以外のもの」を知らない限り、私たちはずっと、自分で自分を説得して、欲望を「我慢」している状態になるわけです。先ほど引用した、「悟る」前のシーハー比丘尼のような状態になる。

「煩悩に纏い付かれ、綺麗なもののイメージが頭から離れず」云々という、あの状態ですね

そう。シーハー比丘尼が何に執着していたのかはわかりませんが、女性ですからおっぱいではないでしょうし、かりにイケメンに執着していたと考えましょう。もちろん解脱する前の彼女でも、ゴータマ・ブッダの教説の基本を知らないわけはありませんから、目の前のイケメンが所詮は糞袋であって、五十年後にはジジイになっているに違いない無常・苦・無我の存在であることは、よくわかっているわけです。

理屈の上では、綺麗なイケメンに執着することが無意味だと知っているわけですね

ええ。しかし、それでも綺麗なイケメンのイメージは彼女にとって現実であり事実ですから、それは頭から離れてくれないわけです。だから、彼女はそれに対する煩悩を、必死で「我慢」するしかない。つまり、「このイケメンは無常なんだ。このイケメンは苦なんだ。このイケメンは無我なはずなんだ。だからこんなものに執著していたら駄目なのよ。駄目よ駄目よ駄目なはずなのよ！　ああ〜っでもイケメンが忘れられないっ‼」という状態になるわけです。

それはつらいですね（笑）

つらいと思います（笑）。理屈としては現象が無常・苦・無我であるということを彼女は知っていたはずですし、そのことを気づきの実践を通じて、ある程度は事実として観察してもいたでしょう。しかし、いくら現象が無常であり苦であり無我であるということを認識していても、それ以外のものを知らない限り、目の前のイケメンをかっこいいと思ってしまう自分の心も、事実であり現実であるものとして、彼女に迫ってくるわけです。

だから、シーハー比丘尼はそのように纏い付いてくる煩悩を否定して、「こんなものに執著していたら駄目なんだ」と、自分を説得し続けるしかありません。けれども、そのように「我慢」をしなければならないうちは、「煩悩の流れ」を「塞ぐ」ことはできていないわけだから、解脱をしたとは言えないわけです。

解脱した人は、もう欲望を「我慢」することはしていない、ということでしょうか

はい。これは上座部圏の説法ではしばしば言われることなのですが、「四諦説」のいちばん最初に、「苦諦」というのがありましたね。そこでは、衆生は生老病死をはじめとする四苦八苦を経験するものであり、要するに、「(少なくとも凡夫にとっては)生きることそのものが苦である」ということが言われていた。

四諦説については、第3回の講義で解説がありましたね

ええ。それで、上座部圏の説法では、その苦諦も「聖諦《しょうたい》(ariya-sacca)」の一つであるということが、しばしば指摘されることがあります。どういうことかと申しますと、テーラワーダにおいて、「聖者（アリヤ）」というのは涅槃を一度でも経験したことがあって、程度の差はあれ「悟り」を得ている人たちのことを指しますから、つまりは苦諦というものも、「悟り」の立場から見てはじめて、その真意義は理解することができるのだ、ということを言っているわけです。

これまでの講義でも、「苦」についてはかなりわかりやすく説明していただいたように思いますが、そういう「解説」を聞き知っただけでは、本当に苦が「わかった」ことにはならない、ということでしょうか

そうです。と言いますのは、聖者として、「悟り」の立場から苦を本当に理解すれば、その時にはもう欲望を「我慢」する必要もなくなるからです。喩えて言えば、それは目の前に真っ赤に焼けた鉄板があるようなものですね。

「真っ赤に焼けた鉄板」ですか

ええ。下から炎にあぶられて、ものすごく熱そうな鉄板です。それを、素手で

触ってみたいと思うことがありますか？

それはないですね（笑）

そうでしょう（笑）。その鉄板が熱くて、触れば火傷すると見るからにわかるのに、それでも触りたくて仕方がなくて、ネットで言われる中二病の人みたいに、「静まれ！　俺の右手よ！」と、鉄板に伸びる手を必死に止めなきゃいけない、みたいなことはありませんよね。

あり得ないですね

ですよね。別に一生懸命に「我慢」しなくたって、そんな鉄板に私たちはわざわざ触れたりしません。苦諦が「悟り」の立場から本当にわかっているというのは、そういう状態になることです。逆に言えば、目の前にあるイケメンやおっぱいに対して、「こんなものは無常・苦・無我の現象だ。所詮は目に入ってくる色の組み合わせにすぎないんだ。だから、綺麗に見えるからといって執著してはいけない」と、必死に自分に言い聞かせなければならないうちは、本当に「苦」がわかっているとは言えないわけです。

現象が「苦」に他ならないことを、事実・現実として端的に認識して、熱い鉄板に触れることを自然と避けるように、おっぱいやイケメンに執着することを当たり前のようにやめる状態にならなければ、苦諦を本当に知ったとは言えない、ということですね

そうです。第1回の講義で紹介した「マーガンディヤ」の話にしても、そこでゴータマ・ブッダは、美女を目の前にして「私はそれに足でさえも触れたくない」と言っていましたが、それは別に「やせ我慢」をしているわけではないんですね。私たちが火傷をしたくないから、熱い鉄板には自然と触れることを避けるように、彼は欲望の対象に執着することが苦を引き起こすことを本当に理解しているから、そういう行為は当然のこととして避けるわけです。

なるほど

では、なぜ解脱者たちはそのように思えるのかと言えば、それは既に申し上げたように、彼らは縁生の現象以外のものを知っているからです。現象が無常・苦・無我であることを観察したが、それ以外のものを何か知っているわけではなく、かつ欲望の対象を享受すれば気持ちいいことも経験的にわかっている、という状態であれば、私たちには「我慢」することしかできません。

「解脱のための修行はしているけど、現象の気持ちよさも知っている」という状態であれば、たしかにそうするしかありませんね

ええ。しかし、そこで修行者が不生であり無為である涅槃の境域を覚知するという経験をして、それが「最高の楽（paramaṃ sukhaṃ）」であるということを事実・現実として知ったならば、そこではじめて、彼・彼女は生成消滅する現象に執著する気持ちを、本当の意味で断ち切ることができるわけです。少し語弊のある比喩ですが、それはあたかも、それ以外の選択肢がないから美味しいと思って食べていたものが、他の本当に美味しい食べ物を知ることによって、全く美味し

く感じられなくなるようなものですね。

縁生の現象の無常・苦・無我を観察し続けるという気づきの実践は、それだけでは明白な「完成」に至ることが原理上あり得ない。そこで「決定的で明白な実存の転換」が生じるためには、修行者が「縁生の現象以外のもの」、即ち「不生であり無為である涅槃」を覚知する必要がある。だから魚川さんは、「世間」と「出世間」を峻別するテーラワーダの仏教観を支持するわけですね

はい。もちろん、これはあくまで「ゴータマ・ブッダの仏教の解釈としては、それが整合的であると思われる」ということにすぎませんし、また細かい点について考えると色々と注意すべき点も出てきますが、そこは入門の範囲を大きく超える問題になりますので、ひとまず本書では言及しないことにしておきます。

実践と「自由な選択の余地」

わかりました。ところで、その「不生であり無為である涅槃を覚知する」という経験は、実際に存在するものなのでしょうか？

もちろん、そこがいちばん気になるところですよね。本書は「科学的な」研究を目的とするものではありませんから、それが例えば生理学的にどのような事態であるのか、といったことについて解釈を示すことはいたしません。

ただ、前回の講義でも申し上げたとおり、ゴータマ・ブッダは自分の法（ダンマ）を、「現に証せられるもの」であり、「来て見よと示されるもの」であると明言していましたから、「ならば実際にやってみよう」と考えた人たちも、世界中にたくさんいたわけです。そうして、「なるほど、たしかに涅槃の経験ということは存在する」と確信できた人たちも、二千五百年の仏教史のあいだに多く存在してきたことは事実ですね。

実際、現代でも欧米も含めた世界中にテーラワーダの瞑想センターがあって、そこで多くの人々が、気づきの実践（ウィパッサナー瞑想）を行っているようですね

ええ。伝統的に仏教文化圏ではない欧米で、非仏教徒も含めた多くの人々がお金や労力を提供することで瞑想センターが運営され得ているのは、「言われたとおりにやってみたら、言われたとおりの結果が出た」と確信できた人々が、実際に多く存在しているということを、傍証していると思います。

効果が実感できないものについて、仏教の信徒でもない人たちが、お金や労力を負担しようとすることは、なかなか考えにくいですからね

そうですね。ただし、前回の講義でも強調したとおり、ここでお話ししていることはあくまで「説明」にすぎませんから、とくに解脱や涅槃といった問題に関しては、最終的に「本当のところ」を確認しようとする場合、その手段は皆さん

それぞれに実践をしていただく以外にはありません。これも前回お話ししたとおり、ゴータマ・ブッダの仏教は「そういう教え」であるということを皆さんにご納得いただくのが、本講義の目的でもありますからね。

「知識と理屈だけでは仏教を完全に理解することはできない」ということを、とりあえず知識と理屈で可能な限り説明するのが、本講義の性質でしたね

はい。ですから、本書を読んで「実際のところ涅槃というのはどういうものなのか」ということに興味をもたれた方は、実践に進まれるのもよいと思います。もちろん、そこは皆さんの自由な選択の問題ですね。

なるほど。でも、それでおっぱいが脂肪の塊にしか見えなくなるかもしれないと思うと、ちょっと怖いですね（笑）

そうですね（笑）。ただ、先ほど「聖者（アリヤ）」というのは涅槃を一度でも経験したことがあって、程度の差はあれ「悟り」を得ている人たちのことだ、と

いう話をいたしましたが、実際に教理的には、「悟り」にも程度の差というか、進んで行く段階を認めることが多くあります。

段階ですか

はい。例えば、いわゆる「小乗」の仏教であれば、預流・一来《いちらい》・不還《ふげん》・阿羅漢という、四つの段階を考えるのが普通ですね。この四者の違いについて詳しいところは、例によってウ・ジョーティカ師の『自由への旅』などを参照していただきたいのですが、ここでは敢えて実践的な文脈から大雑把に表現しますと、これは涅槃の覚知がチラ見なのか、それとも全部見なのか、みたいな相違です。

チラ見ですか（笑）

もちろん、すごく粗っぽく言えばですけどね。それで、教理上の問題はともかくとして、現実の瞑想者たちの中には、その「チラ見」の段階からさらに「全部見」に至るまで修行を進めようとする人たちもいるし、「チラ見」のところで十分だと考えて、そこで世俗に戻る人たちもいます。つまり、実際上の問題としては、そこには自由な選択の余地があるんですね。

おっぱいの世界に戻る人たちもいると

そうですね。ただ、もちろん修行を行う前と完全に「同じ」状態に戻るというわけではありません。第2回の講義で、ゴータマ・ブッダの「非人間的でシンプルな教え」が私たちに与えてくれる価値というのは、「ただ在るだけで fulfilled」というエートス（この世界における居住まい方）」、即ち、「刺激ジャンキー」とは別のモードの生き方を、己の内にビルトインできることだと申しましたね。

はい、覚えています

仏教の示す戒・定・慧の三学を修めることで、そのような「ただ在るだけで fulfilled」というエートスを知ることは可能ですが、そのことを達成した上で、以後の本人がどのような生き方を選ぶかということには、一定の「自由」が行使され得る余地があります。

つまり、もう欲望の物語の世界には全く戻らず、そことは徹底的に縁を切ることを志向する人もいれば、上述のようなエートスを己の内に宿しつつ、同時に物語の世界とも、再び何かしらの関わりをもとうとする人もいる。いま申し上げたように、そこには「自由な選択の余地」があり得るわけです。

そうなんですか！

少なくとも、私はそのように考えます。ただ、このあたりは既にテーラワーダの教理の範囲は逸脱してしまっている話ですし、むしろ仏教史全体を俯瞰した上での解釈として語ったほうがよいことでもありますから、このトピックについての詳論は『仏教思想のゼロポイント』に譲ることとして、本講義はここまでということにいたしましょう。

ありがとうございました！

あとがき

格闘技のいわゆる「最強論争」に、ほとんど興味がありません。世の中には様々な格闘技が存在しますが、それは必要とされる状況や使用者の特性によって、それぞれに適切な技が存在し、また時にはそうした技に習熟した非常に強い個人も現れてくる、というだけの話であって、そこで使用される場面の差異や、属人的な要素を度外視した上で、常に「最強」な格闘技を一種類に定めることに、さほどに意味はないように思われるからです。

そして、私の見るところでは、本書の主題である仏教も、この格闘技と事情が似ています。つまり、「仏教」と一言で総称することは可能でも、その中身を仔細に見てみると、そこには多種多様な内実が含まれているということ。例えば現代日本の「仏教」事情だけを考えてみても、そこには奉ずる経典も語る教説も行う実践も異なる様々な宗派が並び立っています。その中で、どれが「本当の仏教」であり、どれが「正しい仏教」であるのか、といったことが、しばしば仏教を語る人々のあいだで議論となるのも、（いわば「最強の仏教」を探そうとしているという意味において）格闘技愛好家の場合と変わりません。

もちろん、そのように特定の宗派（もしくは、特定のテクスト）が語る教説を、「本当の仏教／正しい仏教」として認定しようとするような議論が、宗教的・学問的見地から、有益であり必要でもあると考える方々が、いらっしゃることは承知しています。ですから、そうした問題が論じられるということ自体を、批判するつもりはありません（その種の議論は、格闘技の「最強論争」と同じで、熱くなりすぎることがなければ、なかなかに楽しいものでもあります）。ただ、私自身は、ある一つの格闘技だけを「最強」だと決めることと同様に、ある一つの仏教だけを「正しい／本当」であると認定することに興味がもてませんし、それは本文中でも、しばしば強調して述べたとおりです。

そのようなわけですから、本書の目的は、私の考える「本当の仏教／正しい仏教」を紹介して、読者の皆様にそれを信奉していただくことでは全くありません。そうではなくて、多様に存在する「仏教」の諸思想を理解するための前提となる基本的な知識（あるいは、そうした多様性を生み出す仏教の思想構造に関する基礎的な理解の枠組み）を提供して、そうすることで、「仏教の思想が、あなた自身にとって価値があるかどうか」(p.72) ということを、お読みになった方がそれぞれに判断するための一助たらんとすること。それこそが、本書の執筆された目的です。

このように、「ある特定の仏教だけが「正しい／本当である」と前提するのではなくて、種々に存在する「仏教」と呼ばれる諸思想について、それらが各々に「正しいとされる構造」のほうを探ることにより、「私たちにとって価値のある仏教の思想」は何であるかを考える上での判断材料を提示しようとすること」は、私自身が仏教と関わる上で、常に維持してきた基本的な態度でもあります。

私は日本の大学院で仏教学を専攻し、主には東アジアの大乗仏教を学んだ上で、さらにミャンマーへと渡航し、当地でテーラワーダ仏教の行学（実践と理論）を、足かけ五年間ほど修しました。

テーラワーダをやってみようと思ったのは、それが現存する仏教諸派の中では、「ゴータマ・ブッダの仏教」の原型を、比較的よく保存しているセクトであると考えられているからですが、そのように「仏教の原型」を確認してみようと思ったのも、それが「本当の仏教／正しい仏教」であると認定するためではもちろんなくて、「はじまり」（であるとされているもの）を確認することで、仏教思想史の多様で豊饒な展開を全体として見通すことのできるような、一つのパースペクティブを構築したいと考えたからでした。

本書で述べていますが、「本当の仏教／正しい仏教」系の議論の問題点は、それが「ゴータマ・ブッダ」というブラックボックスに論者の希望や願望を押し込める、「はずだ論」に陥ってしまいやすいことです。事実として多様に存在する仏教の諸思想のどれか一つを、敢えて「正しい／本当である」と認定しようとするためには、それが「ゴータマ・ブッダの教説と一致している」ということのほかに、判断基準を求めようがないからです。結果として、「本当の仏教／正しい仏教」系の議論は（その全てがそうであるとは言いませんが）、「自分にとって望ましい思想内容」が、「ゴータマ・ブッダの教説」と一致していることを、しばしば非常に無理な解釈を押し通してでも、「論証」しようとするようなものになりがちです。

しかし、仏教の業界内では時にホットな話題となることのある、この種の「本当の仏教／正しい仏教が存在し、それはゴータマ・ブッダの教説と一致している」ことを前提とした議論に、私はあまり親しみを感じることができませんでした。言うまでもないことですが、「ゴータマ・ブッダの教説と一致している」ことが、ある特定の思想の価値や真理性の担保として機能するのは、「ゴータマ・ブッダの言っていることは正しく価値がある」という信念を共有している仏教徒のサークル内だけのことであり、とくに自分が「仏教徒」であるという認識を有していない私のような人間にとっては、「何がゴータマ・ブッダの真説か」ということ（だけ）が主たる関心事となるような議論に、あまり深入りする意義を見出すことができなかったからです。

それよりはむしろ、格闘技の「強さ」の基準が人や場面によって異なるように、多種多様に存在する仏教の諸思想が「誰にとって、どういう場合に」価値があるのかということを、もう少しフラットに考えることのできるような視点がほしい。そしてできれば、そうしたことを気楽にオープンに論じ合うことのできるような場がほしい。それが、仏教と関わりながら、私がずっと考え続けてきたことでした。それは言い換えれば、仏教を「ゴータマ・ブッダの真説は何か」ということが主たる関心事となるような議論の領域（のみ）に閉じ込めてしまうことなしに、非仏教徒も含めた一般の現代人が、自らの生き方を定める上で貴重な参照項とすることができるような、いわば「現代思想」の一つとして、私たちの手元へと開放したいということでもあります。

そういう意図で書かれた著作ですから、本書では「パーリ経典から知られる限りでのゴータマ・ブッダの教説」を、とりあえず「ゴータマ・ブッダの仏教」の内容であると考えて（このことの意味については、本文でも言及している拙著『仏教思想のゼロポイント』〔新潮社〕をご参照ください）、その根源的な思想構造をわかりやすく提示することに努めましたが、同時にそのような意味での「ゴータマ・ブッダの仏教」が、「本当の仏教／正しい仏教」であるという理解に読者を導くことは、極力しないように注意して叙述を進めています。

もちろん、一般に思想を（とくに簡潔にわかりやすく）紹介・解説する場合に、その叙述が「完璧な中立」を保つということはあり得ません。本書で示されているような「ゴータマ・ブッダの仏教」の理解も、例えば世界各地のテーラワーダの瞑想センターにおいては、ごく常識的な範囲のものであると思いますが、それもやはり、「一つの視点」の設定では明確にあります。ただし、その視点の設定は、ここで述べられている「ゴータマ・ブッダの仏教」こそが「本当の仏教／正しい仏教」であることを示すために行われているのではなく、むしろ既述のような「本当の仏教／正しい仏教が存在し、それはゴータマ・ブッダの教説と一致している」といった従来の仏教に関する議論の枠組みから、距離をとるためにこそ行われているということ。そのことは、とくに第1回から第3回の講義内容をお読みいただければ、ご理解いただけると思います。

そのような性質の著作ですから、本書は「これ一冊で仏教の全てがわかる」種類の入門書ではもちろんありません。右に述べたように、仏教に関しては様々な見方が存在しますから、本講義はあくまでそのうちの一つを示したにすぎませんし、また基本的な知識であっても、本書の中ではふれることのできなかったものも多くあります。

ただ、タイトルにあるとおり、本書を読むことで、「なるほど。たしかに仏教というのは、とにかく面白いものなんだな」ということを、読者の皆様に感じていただけるであろうことには、ひそかに自信をもっています。本文を読了されて、もし仏教に興味をもっていただけたならば、『仏教思想のゼロポイント』や、他の定評ある入門書・解説書にも目を通していただいて、仏教に関する知識や見方を、さらに補っていただければと思います。

『仏教思想のゼロポイント』では、本書で解説したような内容が、多くの引証も伴いつつ、より包括的な形で論じられ、その上で、本講義では積み残された、

「悟った後の、物語の世界との関わり方」の問題についても語られます。また、他の仏教書籍に関するブックガイドとしては、私が紀伊國屋書店の企画「じんぶんや」において選書したリストが、参考になるかもしれません（https://www.kinokuniya.co.jp/c/20150801095841.html）。

本書によって、読者の皆様が仏教の「面白さ」を認識されて、さらにそれについて知りたいと思っていただくことがあれば、著者としてこれ以上の喜びはありません。なお、文庫版の制作に関しては、講談社の青山遊さんにお世話になりました。記して感謝いたします。

二〇一五年十月　ヤンゴンにて　　魚川祐司

解説

宮崎哲弥

のっけから手前味噌っぽい話で申し訳ないが、かつて私の評論の姿勢について「わかりやすく難しいことを説く」と評されたことがある。「難しいことをわかりやすく説く」のではなく、「わかりやすく難しいことを説く」よう心懸けているという。

言い換えるならば「難しい事象を噛み砕いて説明しようとする」のではなく、「噛み砕いて、難しいことを問おうとする」のが私の論評の特徴だ、と指摘してくださったのだ。

まさにそれを目指している、と思わず膝を打った。と同時に、それを目指しながら、ついつい易きに付いて、難しいことを単に噛み砕き解説して済ましている己が現状に気付き、悄然としてしまった。

本書の原型に当たる『だから仏教は面白い！』の電子書籍版を一読したとき、

まさに、わかりやすく難しいことが説かれているので驚嘆した。そして仏教は、少なくとも「ゴータマ・ブッダの仏教」はこの方法で説示されなければならないことを確信したのである。

はっきりいうが、仏教は難しい。とくに日本においては、下手に〝仏教色の文物〟が分厚く蓄積されているため、多くの人が仏教に慣れ親しんでいると思い込んでいる。お寺の数もコンビニエンスストアより遥かに多いみたいだし、日常的に使う言葉が経典に由来するものだったりすることも珍しくない。その身近さゆえ、仏教の「難しさ」を認識すること自体が難しくなっているとしても過言ではない。

それにもう一つ問題なのは、世に「やさしい」仏教入門書が蔓延していることだ。それらは二重の意味で「やさしい」。わかりやすく、行き届いた解説が施されているという点で「易しい」し、世間の常識や通念や道徳に反さないことばかりが満載されていて、読んで耳心地がよい、という点で「優しい」。

もう少し学術的な風味を添加した感じの啓蒙書でも、ブッダの教えは「勇気をもって、人間として正しく生きていきましょう」に尽きる、などと断言されていたりする（橋爪大三郎、大澤真幸『ゆかいな仏教』サンガ新書）。嘘八百である。仏教は、「正しく生きる」こととか「善く生きる」こととかを目的に据えたりはしていない。別段それらを否定するわけではないし、仏教の修行を積めば、結果として「正しい人」や「善い人」になったりはする。だが、目指してそうなるわけではない。

本書の「わかりやすさ」とは、例えば劈頭《へきとう》「仏教というのは「人間が正しく生きる道を説いたものだ」とか、そういった紹介の仕方をされることがしばしばあると思うのですが、実際にゴータマ・ブッダが弟子に教えていることを見てみたら、彼は「人間が正しく生きる道」を主題的に教えているわけでは必ずしもないんですよ」とあっさり、明快に述べられている点だ。剰《あまつさ》え、その直後に「現代日本人一般の価値観からすれば、非人間的に見えても全くおかしくないようなことを、彼は普通に説いている」と畳み掛けられている。

いいねえ（笑）。この「わかりやすさ」は、つまり明け透けで誤魔化しがない、ということとほぼ同義だ。だけど、この意味をしみじみと腑に落とし込み、心身に定着させるのは実に難しい。私達は心の慣習として、どうしても「正しく生きよう」「善く生きよう」としてしまう。その「正しさ」「善さ」をロクに吟味することもなしに。あるいは「人間的なもの」に、無条件に好感を抱いたりする。

そういう「無知」に付け込むように、「エンゲージド・ブディズム」とか「社会参加する仏教」とかが公共ポスターの標語みたいに掲げられ、その「わかりやすさ」ゆえ、つまり、その主張の「正しさ」や「善さ」、「健全さ」ゆえ、新しい仏教のあり方として急速に浸透してしまう。

ちゃんとした仏道を志す者は、本書の次の記述を心で反復して、そうした「わかりやすさ」に抗わねばならない。なぜなら……

ゴータマ・ブッダの教説の最終的な目的は、社会の中でそのメンバーとして上手に振る舞うとか、そこで役に立つとかいったことを、「すべて乗り越える」ことです（中略）ゴータマ・ブッダの仏教というのは、「社会の中で人間的に役に立つ」ための教えでは全くないわけです。（本書一二～一三頁）

「わかりやすく難しいことを説く」とはこういうことなのだ。ここには何ら曖昧な点はない。無影灯で照らされた手術野みたいにすべてがくっきりと浮かび上がっている。なのに、なかなか腑に落ちない。右の記述が心底から納得できれば、その人はすでに世間から〇・一歩ほど踏み出せているといえよう。

また、ブッダの教えは「世の流れに逆らうもの」とある。この「世の流れ」というのも難しい。文字面だけ撫でると政治的反体制、もしくは社会的な同調への反骨、あるいは世の大勢にまつらわぬ姿勢などを想起するが、そういう話ではない。いま、この「世の流れに逆らう」ことは、仏教を真っ芯で捉えようとしている人々が最も強調している部分だ。例えばチベット仏教の吉村均さんは「世の流れ」とは「嫌なものをなくす、欲しいものを手に入れるという」感覚のことだといっている（『神と仏の倫理思想』北樹出版）。

多くの人は、えーっ、と思うだろう。「嫌なものは嫌、欲しいものは欲しい。そんなの当り前じゃん。これに「逆らう」なんてあり得ない」。そう、それが「当り前」だ。それを自然の摂理とみるのがまさに「世の流れ」だ。そしてブッダは、「その世の流れに反逆せよ。そうでなくては私達は解放されない」と看破したのだ。

曹洞宗の藤田一照さんはこの仏教独自の性向を、英語を使って“counterintuitive《カウンターイントゥイティヴ》”と表現している（『信仰・修行の誤解・カン違い』「大法輪」平成二五年三月号）。「反実感的」とでも訳そうか。快いものを好ましく感じ、いとおしいものを愛でて、また醜悪なものを嫌悪し、不快や痛みを遠ざけようとする。この生来の、抜き難い「実感」こそが根本的な煩悩に他ならず、我々を迷いの生に縛りつける執着の根元なのだ。

何だか難しい話になってきたが、本書では要するに「異性とは目も合わせないニートになれ!」という教えだと、この上なくわかりやすい、わかりやす過ぎる譬《たと》えで説明されている。もちろん経証、即ち言説の裏付けとなる経典の記述も示されているから、決してデタラメな書き飛ばしではない。

だけど、本書に頻出するこの類の直截な比喩の背景に、著者、魚川祐司さんの「主体性」の気配を感じる。それはどういう主体性なのかというと、身体感覚を含む実存がいかにして丸ごと宗教に開かれていくか、という過程みたいなもの、ととりあえず思っておいて欲しい。

かつて彼が大学院の博士課程にあったときにものした文章に、ある神道家の著作の「三十歳の時にオナニーするのを止めた」という記述をめぐる一考察がみえる。魚川さんはその神道家の禁欲に、宗教上の戒律や徳目の、実存に対する意義を読み込んでいた。

釈尊の示す目標に到達するための、必然的要請として捉えられて、初めてその徳目は人を実践へと向かわせる駆動力を備えるに至る。その世界観から切り離された釈尊の「倫理的教え」というのは、繰り返し述べてきたように、単なる「ポスターの標語」以上のものにはなり得ないのだ。（『慈悲と優しさ―モノと仏教①―』「モノ学・感覚価値研究」第一号）

こうして教理、修道、戒律が、実存の問題構造の把握とその解体、解放を目指す一貫した道程として描き出される。本書では、あくまで「噛み砕いて、難しいことを説く」構えで。これは従来まったく類をみない、画期的な仏教入門である。

余談だが、魚川さんの前著『仏教思想のゼロポイント』（新潮社）の帯に一筆書いた縁《えにし》からか、著者でもないのに同書を「読みました」とよく告げられる。私が驚いたのは、経済関係やビジネス関係のセミナーで何度もそういう声を聞いたことだ。三〇、四〇代の第一線のビジネスパーソンに結構読まれている。仏教書など見向きもしてこなかったであろう人々が『ゼロポイント』を手に取っているのだ。

おそらく本書でもっと広汎な層の読者を獲得するに相違ない。魚川さんは、自分は仏教徒ではない、と公言している。そして、自らの目論見は「非仏教徒も含めた一般の現代人が、自らの生き方を定める上で貴重な参照項とすることができるような、いわば「現代思想」の一つとして」の仏教を提示することだと、語っている。

いまそれが、あなたの手元に開放されてある。

本書は二〇一四年一二月にevolvingより配信された電子書籍『だから仏教は面白い！（前・後編）』を、合本・加筆の上、文庫化したものです。

魚川祐司―1979年、千葉県生まれ。著述・翻訳家。東京大学大学院人文社会系研究科博士課程満期退学（インド哲学・仏教学専攻）。2009年末よりミャンマーに渡航し、テーラワーダ仏教の教理と実践を学びつつ、仏教・価値・自由等をテーマとした研究を進めている。処女作『仏教思想のゼロポイント「悟り」とは何か』（新潮社）が話題となる。ほか、訳書に『ゆるす 読むだけで心が晴れる仏教法話』（ウ・ジョーティカ著、新潮社）がある。

講談社＋α文庫 講義ライブ

だから仏教《ぶっきょう》は面白《おもしろ》い！

魚川祐司《うおかわゆうじ》

2015年12月17日第1刷発行

発行者――鈴木 哲

発行所――株式会社 講談社

東京都文京区音羽2-12-21 〒112-8001

電話 編集(03)5395-3522

販売(03)5395-4415

業務(03)5395-3615

デザイン――鈴木成一デザイン室

本文デザイン――森田祥子（TYPEFACE）

カバー印刷――凸版印刷株式会社

印刷――慶昌堂印刷株式会社

製本――株式会社国宝社

本文データ制作――講談社デジタル製作部

落丁本・乱丁本は購入書店名を明記のうえ、小社業務あてにお送りください。
送料は小社負担にてお取り替えします。
なお、この本の内容についてのお問い合わせは
第一事業局企画部「＋α文庫」あてにお願いいたします。

Printed in Japan ISBN978-4-06-281631-1

定価はカバーに表示してあります。

講談社+α文庫 Ⓖビジネス・ノンフィクション

原子力神話からの解放 日本を滅ぼす九つの呪縛　高木仁三郎
原子力という「パンドラの箱」を開けた人類に明日は来るのか。人類が選ぶべき道とは？　762円 G 227-1

大きな成功をつくる超具体的「88」の習慣　小宮一慶
将来の大きな目標達成のために、今日からできる目標設定の方法と、簡単な日常習慣を紹介　562円 G 228-1

「仁義なき戦い」悪の金言　平成仁義ビジネス研究所 編
名作『仁義なき戦い』五部作から、無秩序の中を生き抜く「悪」の知恵を学ぶ！　724円 G 229-1

エネルギー危機からの脱出　枝廣淳子
目指せ「幸せ最大、エネルギー最小社会」。データと成功事例に探る「未来ある日本」の姿　714円 G 230-1

世界と日本の絶対支配者ルシフェリアン　ベンジャミン・フルフォード
著者初めての文庫化。ユダヤでもフリーメーソンでもない闇の勢力…次の狙いは日本だ！　695円 G 232-1

「3年で辞めさせない！」採用　樋口弘和
膨大な費用損失を生む「離職率が入社3年で3割」の若者たちを、戦力化するノウハウ　600円 G 233-1

管理職になる人が知っておくべきこと　内海正人
伸びる組織は、部下に仕事を任せる。人事コンサルタントがすすめる、裾野からの成長戦略　638円 G 234-1

IDEA HACKS！ 今日スグ役立つ仕事のコツと習慣　原尻淳一 小山龍介
次々アイデアを創造する人の知的生産力を高める89のハッキング・ツールとテクニック！　733円 G 0-1

TIME HACKS！ 劇的に生産性を上げる「時間管理」のコツと習慣　小山龍介
同じ努力で3倍の効果が出る！　創造的な時間を生み出すライフハッカーの秘密の方法!!　733円 G 0-2

STUDY HACKS！ 楽しみながら成果が上がるスキルアップのコツと習慣　小山龍介
無理なく、ラクに続けられる。楽しみながら勉強を成果につなげるライフハックの極意！　733円 G 0-3

*印は書き下ろし・オリジナル作品

表示価格はすべて本体価格（税別）です。本体価格は変更することがあります

講談社+α文庫 Ⓖビジネス・ノンフィクション

新装版「エンタメの夜明け」ディズニーランドが日本に来た日　馬場康夫　東京ディズニーランドはいかに誕生したか。したたかでウイットに富んだビジネスマンの物語　700円 G 242-2

箱根駅伝 勝利の方程式 7人の監督が語るドラマの裏側　生島淳　勝敗を決めるのは監督次第。選手の育て方、10人を選ぶ方法、作戦の立て方とは？　700円 G 243-1

箱根駅伝 勝利の名言 監督と選手34人、50の言葉　生島淳　テレビの裏側にある走りを通しての人生。「箱根だけはごまかしが利かない」大八木監督(駒大)　720円 G 243-2

うまくいく人はいつも交渉上手　齋藤孝 射手矢好雄　ビジネスでも日常生活でも役立つ！ 相手も自分も満足する結果が得られる一流の「交渉術」　690円 G 244-1

ビジネスマナーの「なんで？」がわかる本 新社会人の常識50問50答　山田千穂子　挨拶の仕方、言葉遣い、名刺交換、電話応対、上司との接し方など、マナーの疑問にズバリ回答！　580円 G 245-1

「結果を出す人」のほめ方の極意　谷口祥子　部下が伸びる、上司に信頼される、取引先に気に入られる！ 成功の秘訣はほめ方にあり！　670円 G 246-1

伝説の外資トップが教えるコミュニケーションの教科書　新将命　根回し、会議、人脈作り、交渉など、あらゆる局面で役立つ話し方、聴き方の極意！　700円 G 248-1

口べた・あがり症のダメ営業が全国トップセールスマンになれた「話し方」　菊原智明　できる人、好かれる人の話し方を徹底研究し、そこから導き出した66のルールを伝授！　700円 G 249-1

小惑星探査機 はやぶさの大冒険　山根一眞　日本人の技術力と努力がもたらした奇跡。「はやぶさ」の宇宙の旅を描いたベストセラー　920円 G 250-1

「売れない時代」に売りまくる！ 超実践的「戦略思考」　筏井哲治　PDCAはもう古い！ どんな仕事でも、どんな職場でも、本当に使える、論理的思考術　700円 G 251-1

*印は書き下ろし・オリジナル作品

表示価格はすべて本体価格(税別)です。本体価格は変更することがあります

講談社＋α文庫 Ⓖビジネス・ノンフィクション

″お金″から見る現代アート	小山登美夫	「なぜこの絵がこんなに高額なの？」一流ギャラリストが語る、現代アートとお金の関係	720円	G 252-1
仕事は名刺と書類にさせなさい 「目立つが勝ち」のバカ売れ営業術	中山マコト	一瞬で「頼りになるやつ」と思わせる！ 売り込まなくても仕事の依頼がどんどんくる！	690円	G 253-1
女性社員に支持されるできる上司の働き方	藤井佐和子	日本一「働く女性の本音」を知るキャリアカウンセラーが教える、女性社員との仕事の仕方	690円	G 254-1
武士の娘 日米の架け橋となった鉞子《えつこ》とフローレンス	内田義雄	世界的ベストセラー『武士の娘』の著者・杉本鉞子と協力者フローレンスの友情物語	840円	G 255-1
誰も戦争を教えられない	古市憲寿	社会学者が丹念なフィールドワークとともに考察した「戦争」と「記憶」の現場をたどる旅	850円	G 256-1
絶望の国の幸福な若者たち	古市憲寿	「なんとなく幸せ」な若者たちの実像とは？ メディアを席巻し続ける若き論客の代表作！	780円	G 256-2
今起きていることの本当の意味がわかる 戦後日本史	福井紳一	歴史を見ることは現在を見ることだ！ 伝説の駿台予備学校講義「戦後日本史」を再現！	920円	G 257-1
しんがり 山一證券 最後の12人	清武英利	'97年、山一證券の破綻時に最後まで闘った社員たちの物語。講談社ノンフィクション賞受賞作	900円	G 258-1
日本をダメにしたB層の研究	適菜収	いつから日本はこんなにダメになったのか？ ——「騙され続けるB層」の解体新書	630円	G 259-1
Steve Jobs スティーブ・ジョブズ I	ウォルター・アイザックソン 井口耕二 訳	あの公式伝記が文庫版に。第1巻は幼少期、アップル創設と追放、ピクサーでの日々を描く	850円	G 260-1

＊印は書き下ろし・オリジナル作品

表示価格はすべて本体価格(税別)です。本体価格は変更することがあります